U0115963

中華文化思想叢書

滬江大學學術講演錄
下冊

上海理工大學檔案館　編

目次

序一 ……………………………………………… 薛明揚　1

序二　我的滬江歲月 ……………………………… 徐中玉　5

上冊

教育篇 ………………………………………………… 1

滬江大學行畢業禮演說稿 ………………………… 唐文治　7

普通教育與職業教育之關係 ……………… 約翰・杜威　9

在滬江大學的演講 ………………………… 保羅・孟祿　15

自然科學的社會屬性 …………………………… 葛學溥　19

教育與人生 ……………………………………… 李石岑　23

對於第十屆全國教育聯合會的感想 …………… 朱經農　33

中國基督教教育問題 …………………………… 程湘帆　39

教會中學國文教學問題 ………………………… 孟憲承　43

明年之日蝕 ……………………………………… 斯戴生氏　51

社會與學校 ……………………………………… 陶行知　55

農村社會與農村教育 …………………………… 陶行知　59

歐美教育之新趨勢 ……………………………… 劉湛恩　67

怎樣準備做一個新聞記者 ……………………… 嚴諤聲　73

上海女青年會支持下的女工教育 ……………… 張淑義　85

教育測量之最近發展 …………………………… 沈有乾　91

明天是孔子的生誕 ……………………………… 錢基博　97

送民國三十三年畢業同學序 …………………… 朱博泉　105

社會教育之目的與方法 ………………………… 陸麟書　109

文藝與現代生活 ………………………………… 劉大杰　117

近代物理鳥瞰 …………………………………… 涂羽卿　121

近五年來化學研究之異彩 ……………………… 徐作和　127

容量分析中之新指示劑 ………………………… 韓祖康　139

社會篇 …………………………………………………147

家庭交際之重要 ………………………………… 朱友漁　157

高尚的理想和辦事的能力 ……………………… 白理斯　159

吾人對於社會之責任 …………………………… 黃炎培　161

理想家庭 ………………………………………… 劉王立明　165

愛情、婚姻和家庭的倫理 ……………………… 魏馥蘭　171

選擇與人生 ……………………………………… 朱維之　179

大學生出路之我見 ……………………………… 周雍能　183

青年女子的出路 ………………………………… 劉湛恩　187

從社會學上觀察鴉片之流禍 …………………… 戴秉衡　191

青海的概況 ……………………………………… 石殿峰　199

川遊感想——理想工業區　中國的縮影 ……… 俞頌華　205

西北歸來之感想 ………………………………… 江亢虎　209

先了解中國 ……………………………………… 格雷　221

青年與中華民族 ………………………………… 格雷　225

美國男女交際上之風俗談 ……………………… 格雷　229

文明和資源——一個地理的因素 ……………… 哈伯德　233

政治篇 ⋯⋯⋯⋯⋯⋯⋯⋯⋯⋯⋯⋯⋯⋯⋯⋯⋯⋯⋯⋯⋯⋯ 235

什麼是「新文化」運動？ ⋯⋯⋯⋯⋯⋯⋯⋯⋯ 陳獨秀 243

中國之再造 ⋯⋯⋯⋯⋯⋯⋯⋯⋯⋯⋯⋯⋯⋯ 孫中山 249

民國十三年之回顧及吾人應有之覺悟 ⋯⋯⋯⋯ 何伯丞 253

社會問題與社會革命 ⋯⋯⋯⋯⋯⋯⋯⋯⋯⋯ 瞿秋白 259

孫中山先生事略 ⋯⋯⋯⋯⋯⋯⋯⋯⋯⋯⋯⋯ 惲代英 263

求學與雪恥 ⋯⋯⋯⋯⋯⋯⋯⋯⋯⋯⋯⋯⋯⋯ 楊杏佛 271

革命與人生 ⋯⋯⋯⋯⋯⋯⋯⋯⋯⋯⋯⋯⋯⋯ 沈玄廬 279

李頓報告書的研究 ⋯⋯⋯⋯⋯⋯⋯⋯⋯⋯⋯ 余日宣 285

戰爭與和平（一） ⋯⋯⋯⋯⋯⋯⋯⋯⋯⋯⋯ 余日宣 293

戰爭與和平（二） ⋯⋯⋯⋯⋯⋯⋯⋯⋯⋯⋯ 涂羽卿 297

從教育上謀國難的出路 ⋯⋯⋯⋯⋯⋯⋯⋯⋯ 陶行知 301

日帝國主義鐵蹄下的「滿洲國」教育 ⋯⋯⋯⋯ 王某某 305

我們的東北 ⋯⋯⋯⋯⋯⋯⋯⋯⋯⋯⋯⋯⋯⋯ 李次山 311

化學戰爭之前途及其可能性 ⋯⋯⋯⋯⋯⋯⋯ 邵稼麟 317

濟案的確實報告 ⋯⋯⋯⋯⋯⋯⋯⋯⋯⋯⋯⋯ 羅世錡 321

國難的檢討 ⋯⋯⋯⋯⋯⋯⋯⋯⋯⋯⋯⋯⋯⋯⋯ 曹亮 325

基督徒學生與國難 ⋯⋯⋯⋯⋯⋯⋯⋯⋯⋯⋯ 吳耀宗 329

印度圓桌會議 ⋯⋯⋯⋯⋯⋯⋯⋯⋯⋯ 艾德蒙・霍華德 333

當前東西方之間的關係 ⋯⋯⋯⋯⋯⋯⋯⋯⋯⋯ 高恩 337

美國憲法的起源 ⋯⋯⋯⋯⋯⋯⋯⋯⋯⋯⋯⋯⋯ 達徹 343

對中華民國當前政局的態度 ⋯⋯⋯⋯⋯⋯⋯⋯ 李錦綸 347

下冊

經濟篇 ……………………………………………………… 351

古代井田制度 ………………………………… 馬君武 359

上海之勞工 …………………………………… 蔡正雅 367

上海勞工生活概況 …………………………… 某女士 375

非常時期之經濟 ……………………………… 馬寅初 381

中國茶業之復興 ……………………………… 壽景偉 385

饒伯森在廣播上的兩次演講 ………………… 饒伯森 391

中國的經濟狀況 ……………… 弗蘭德瑞克 E・李 395

向製造大國前進 ……………………… 約翰・Y・李 397

學生篇 ……………………………………………………… 399

喚醒中國魂 …………………………………… 陸士寅 407

今日學生的責任 ……………………………… 嚴奇甫 411

今日中國急宜提倡國家主義 ………………… 鄧方玠 415

論職業教育之重要 …………………………… 朱博泉 419

國魂何在 ……………………………………… 張舍我 423

畢業後前途之預計 …………………………… 沈荔薌 427

拒毒是全體人民的責任 ……………………… 劉良模 431

當今的學生與學生運動 ……………………… 劉良模 435

打倒冷笑 ……………………………………… 劉良模 439

新市政計劃 …………………………………… 鄭鶴 443

活性炭之理論及其實際 ……………………… 馬端履 449

幹！ …………………………………………… 顧存吉 453

到自強之路 ··· 熊鎮岐　457

兩個病夫國 ··· 孫述漢　463

民族生存的條件 ··· 孫述漢　469

從自然的選擇到文化的選擇 ··································· 楊詩興　473

中國大學生的出路 ··· 董美麗　477

受教育者的公共責任 ··· 周秉成　483

中華民國應該採取內閣制而非總統制（一）··········· 吳乃衍　487

中華民國應該採取內閣制而非總統制（二）··········· 張四維　493

中華民國應該採取內閣制而非總統制（三）··········· 潘恩霖　497

改進家庭體制為新婚夫婦建立獨立家庭創造

條件（一）··· 吳乃衍　503

改進家庭體制為新婚夫婦建立獨立家庭創造

條件（二）··· 張四維　509

改進家庭體制為新婚夫婦建立獨立家庭創造

條件（三）··· 潘恩霖　513

西方工業主義的到來對中國利大於弊（一）··········· 吳乃衍　517

西方工業主義的到來對中國利大於弊（二）··········· 張四維　523

西方工業主義的到來對中國利大於弊（三）··········· 潘恩霖　529

一定條件下戰爭的合理性與必要性（一）············· 吳乃衍　533

一定條件下戰爭的合理性與必要性（二）············· 張四維　539

一定條件下戰爭的合理性與必要性（三）············· 潘恩霖　545

花絮篇 ··· 549

滬江大學第一個女大學生的講演 ··············· T. T. Nyi　553

班級樹 ··· 朱榮泉　555

告別演說 ··· 張美銓　557

世界的命脈 ……………………………………… C. T. Wang　559

關於黃浦江及長江的地質學分析 …………… 赫伯・查德理　563

陶行知：社會大學之道 ……………………………… 藍依　565

評萬璞女士「女子參政」演說 …………………… 邵繩武　569

閒話：談談演說 …………………………………… 飯司夫　573

從演說辯論中所見到的幾個根本弱點 ………………… 日月　577

校聞：博士演講 ……………………………………………583

舒新城演說：「二十一條」國恥紀念 ……………………585

李權時博士將講經濟學上的幾個重要問題 …………………587

滄波先生來校演講 …………………………………………589

後記……………………………………………………591

經濟篇

　　商科是滬江大學的特色之一，但設立較晚。一九一七年，滬江大學理事會就有設立商科的決議，但遲遲沒有實行，因為大部分傳教士都覺得不應該把差會的經費用於僅出於掙錢動機的教育。然而，滬江大學的地理位置又使傳教士們不得不承認，「上海這座城市在遠東是獲得各種商務實驗機會的無與倫比的地方」[1]既然選科必須符合社會需要，那麼在上海這個遠東的商業中心，辦商科自是當然之義。因此，當同在滬上的聖約翰大學一九二〇年決定開辦商科後，滬江也匆忙掛出商科的牌子。一九二一年，滬江大學商業管理科（簡稱商科）終於從社會科中獨立出來。

　　商科設立後立刻受到學生的歡迎。然而，由於傳教士中很少有商科出身的，師資很成問題，只得請校外人士來開講座以代替專業課程，直到周啟邦[2]來校執教，才開始有正規的商學課程。但周啟邦最初也是兼職，一九二三年春方轉為專職。海佛克[3]來校後，滬江大學開始有了真正獨立的商業管理系。

　　立案後，滬江大學原來的商科單獨成為一個學院，但學院下面只有一個商業管理系，商科的發展面臨著諸多困難。偏偏在這個時候，海佛克病故，周啟邦也於一九二八年另謀高就。劉湛恩就任校長後，想盡辦法，請來李培恩[4]主持商業管理系。可是令劉湛恩遺憾的是，

1　M. Lamberton, St. John's University Shanghai，頁110。

2　周啟邦（C. P. Chow），美國賓西法尼亞大學工商碩士，1921-1928年間任滬江大學講師、副教授。

3　海佛克（L. Trevor Helfrich），工商碩士，1923-1927年間任滬江大學副教授，1927年病故。

4　李培恩，早年就學於美國芝加哥、哥倫比亞大學，在紐約大學獲工商碩士學位，回國後曾在商務印書館主持一所商科函授學校，併兼任東南大學、暨南大學等校的教授，在當時商科教學方面頗有聲譽。

不到兩年，李培恩就被他的母校之江大學請去當校長了。直到一九三
三年鄭世察[5]和鄭輝[6]兩人加盟後，滬江大學的商業管理系才開始穩定
下來。尤其是系主任鄭世察來滬江大學前曾在廈門大學執教八年，教
學經驗豐富，尤其在會計學方面，他發揮自己特長，開闢了一所會計
實驗室，使得選讀會計的學生受益良多。

　　隨著時間的推移，滬江商科逐漸得到社會的承認，滬江大學商學
院的發展突出地顯示了滬江大學在適應中國社會需要上的努力。到二
十世紀三〇年代時，滬江大學商學院的學生規模占全校的三分之一，
遠遠超過嶺南，成為教會大學中最大的商學院。值得一提的是，儘管
二十世紀三〇年代國內經濟凋敝，大學生就業困難，但滬江大學的商
科畢業生出路卻很好。鄭世察在一九三六年的報告中說：「過去七年
裏有一百多個畢業生進入商界，他們大多數獲得了成功。我從銀行和
公司首腦們那裏獲得的印象是，我們畢業生工作得比其它商科大學的
畢業生出色得多。總的說來，上海的企業如果要人，總是先挑選滬江
大學的畢業生。」[7]

　　滬江大學是一所主要靠學費維持的私立教會大學，學費昂貴是其
一大特徵。昂貴的費用、貴族化的傾向將平民百姓拒之門外，與出身
貧寒的劉湛恩校長的「平民化」教育理想相悖。劉湛恩出任校長後，
便積極為清寒學生募集獎學金，同時，大力推行勤工儉學。又因為獎
學金和勤工儉學的份額有限，滬江大學另闢蹊徑，一九三二年初，在

5　鄭世察（S. C. Djen），浙江寧波人，1919年畢業於滬江大學商科，獲學士學位。
　　1921年赴美，在芝加哥、哥倫比亞及紐約各大學研究，獲工商碩士學位後回國，任
　　農商部會計師。同年冬，在上海豐美銀行任職。後任滬江大學講師、副教授、教
　　授，其間曾兩度出任滬江大學商學院院長。
6　鄭輝（H.Chen），清華大學畢業，美國哈佛大學工商碩士、耶魯大學法學博士。
7　Report of the College of Commerce, 1936年，上海檔案館館藏滬江大學檔案520號。

上海外灘圓明園路上的真光大樓[8]開辦了城中區商學院（簡稱「城商」）的夜校，成為滬江在「職業化」下進一步推行「平民化」的嘗試。劉湛恩指出：「滬江大學多年來一直在楊樹浦的校園裏設有一個商業管理系。它是最受歡迎的系之一。許多校友和朋友儘管讚賞學校這方面所做的良好工作，但也批評它太讀死書和學究氣，沒有提供適當的實踐……經過在社會上的仔細調查，大家同意在市區設一所專門的學校，並設日班和夜班，以便適合那些在職的和正在實習的學生。」[9]

滬江大學同學會會長、金融家朱博泉出任了城商的院長。朱博泉自籌募之日起，就與中國工商界尤其是上海的工商界和社會團體緊密合作，積極開展社會辦學。城商初辦時，只能根據本校商學院的實際，設立商業管理和會計兩系。後來，城商與中華工業總聯合會合作，開辦科學管理科，並開辦屬於特科的工業管理訓練班；與中國銀行學會、中國國際貿易協會合作，開辦銀行系和國際貿易系；與中國建築師學會合作開辦建築學科；與中國商業美術作家協會合辦商業美術班；與上海《時事新報》合作開辦的新聞班也轉到城商，成為一個「新聞學專修科」，不久又與英文《大陸報》合作開設了英語新聞專門班。城商很快就獲得了「民眾大學」的美譽，並給滬江大學開闢了一個新天地，幫助滬江大學擺脫了對美國差會的依賴。

在重慶，滬江大學和東吳大學合作辦起了聯合法商學院。據《聯合法商學院院刊》記載，在一九四三年至一九四四年間，前來演講關

8　該建築1994年被列為上海市近代優秀歷史建築，位於外灘附近的圓明園路209號，原為浸信會大樓，後因當時教會機構出版《真理之光》刊物而更名為真光大樓，由20世紀30年代上海最著名的匈牙利建築設計師拉斯洛·鄔達克（1893-1958）設計，鋼筋混凝土結構，1930年竣工。

9　H. C. E. Liu, An Experiment in Higher Commercial Education. In： Educational Review, Jan. 1933年。

於經濟問題的演講人及其演講題目[10]有謝冠生：「管仲對於法學商學之見解」；刁培然：「商人」；葉元龍：「物價問題」；凌憲揚：「航空事業」；楊開道：「國際貿易與區際貿易」；冀朝鼎：「戰後國際幣制與銀行問題」；潘序倫：「立信與假賬」；費青：「上海現狀」；葛德基：「戰後空運與世界和平」；吳經熊：「守法之精神」；吳世瑞：「經濟學」；項馨吾：「保險事業之概況」；陳長桐：「我國之對外貿易」；張茲凱：「戰後工業趨勢」；奚玉書：「戰時英美兩國之市政近況」；章友江：「我國貿易政策」；陳文麟：「工商資金問題」。只是這些講演稿已無從查考。而一九四四年秋至一九四六年春的東吳大學滬江大學之江大學聯合法商工學院校刊也介紹了相關信息：商學院本學期特設工商講座，延請各界專家名流於每星期四晚蒞校演講有關工商業實際問題，凡該院各系二年級以上各級學生，均須出席聽講。截至目前，計已到校演講者有四聯總處秘書楊蔭溥先生講「戰時銀行資金運用之檢討」，中央政治學校教授趙蘭坪先生講「我國經濟復員與幣制改革」，行政院善後救濟總署調查處處長向景雲博士講「善後救濟工作」，中央銀行經濟研究處處長冀朝鼎博士講「國際貨幣金融會議之經過與展望」，之江大學校長李培恩博士講「商學院應與工商界打成一片」，《新世界》月刊主編楊開道博士講「上海的大都會經濟」，中央設計局調查處處長方顯庭博士講「經濟建設的設計」等。經約定者尚有馬寅初、程紹德、章友江諸先生。可惜的是，這些講演稿也已無從查考[11]。

　　值得一提的是，如果細心地梳理這些學生編輯的刊物，仔細審讀相關的講演內容和相關報導，我們還會從另外一個角度了解滬江大學

10　出自王立誠著《滬江大學簡史》，頁127-128。

11　上海圖書館館藏私立東吳大學滬江大學之江大學聯合法商工學院校刊頁47「聯校紀聞」之「工商講座」。

商科乃至整個學校發展的歷史。如，《滬江大學周刊》第十卷第十八期頁九（1921年4月2日出版）「校聞」記載：商科開課——本校除原有五科外，近更添設商業一科，惟因籌備未完備，故暫時由外面請商界中之富有經驗者來校演講。第一次演講者為浙江地方實業銀行總會計王先生於24日晚6時半來本校演講「銀行會計學之大要」。

隨後的第十九期頁六（1921年4月9日出版）、第二十期頁十二（1921年4月16日出版）就有了後續報導：商科演講——本校自下期起，決議添設商科。現為利便生徒起見，本期內特多請商界名人來校演講。有志加入商科者，均可報名往聽，此項演講已於前禮拜開始舉行，聽講者約有二十餘人之多。

商科演講：朱君博泉乃本校畢業生之一，曾在美國實習銀行管理業。回國後即任浙江地方實業銀行副經理職。四月七日，特應聘來本校商科班演講。其講題為「銀行業之要義」。

顯然，上述三則消息是滬江大學商科創辦的直接記錄，這對於深入研究滬江大學的歷史，尤其是商科教育的發展史，十分寶貴。此外，滬江大學編輯的《新商業》雜誌也收集了章乃器、朱博泉等名家的多篇論文，從一個側面反映了滬江大學商科的整體實力與水準。

一九五二年，滬江大學商學院的工商管理、會計、銀行和國際貿易四系併入上海財經學院。除財經類大學外，大學也不再設立商科。改革開放後，上海和香港兩地的滬江大學校友攜手，在滬江大學原址（現上海理工大學）恢復了商科，劉湛恩之女劉光坤、上海滬江大學校友會副總幹事喻超等滬江大學校友還親自為學生上課，使得滬江大學的商科得以延續，並發展成為上海理工大學的主幹部分——管理學院。

本篇收錄了八篇講演稿。顯然，這個數字和滬江大學商科的地位與品質是不相吻合的，編者只得寄望於今後進一步的努力了。

古代井田制度

馬君武

　　馬君武（1881-1940），廣西桂林人，中國現代著名學者、教育家和社會活動家，廣西大學的創建人。原名道凝，又名同，改名和，字厚山，號君武。一八八一年七月十七日（清光緒七年六月二十二）生。早年就讀於桂林體用學堂。一九〇〇年入廣州法國天主教會所辦丕崇書院學法文。同年赴新加坡見康有為，銜命回廣西策應唐才常起義。一九〇一年入上海震旦學院，同年冬赴日本留學。初與梁啟超辦《新民從報》，旋追隨孫中山革命。一九〇五年八月第一批加入同盟會，和黃興、陳天華等人共同起草同盟會章程，並為《民報》撰稿。一九〇五年底回國，任上海公學教習。一九〇七年赴德國，入柏林工業大學學冶金。首次翻譯《共產黨宣言》綱領，在民報上發表。一九一一年武昌起義爆發後回國，作為廣西代表參與起草《臨時政府組織大綱》和《中華民國臨時約法》，並任南京臨時政府實業部次長。一九一二年出任國會參議員。一九一三年二次革命失敗，出國，再赴德入柏林大學學習。一九一六年獲工學博士回國，恢復國會議員職。一九一七年在國會辯論中，反對中國對德宣戰，並動手追打反對議員李肇甫。同年七月南下廣州參加孫中山護法運動，任廣州軍政府交通部長。一九二一年任孫中山非常大總統總統府秘書長，並一度任廣西省省長。一九二四年和馮自由、章炳麟等人發表宣言，反對國民黨改組和聯俄容共、扶助農工等三大政策。一九二五年出任北洋政府司法總

長、教育總長，被國民黨第二次全國代表大會開除黨籍。一九二八年創辦省立廣西大學，曾三任廣西大學校長。一九三一年「九一八」事變後，馬君武作詩《哀瀋陽》兩首，諷喻張學良。一九四〇年八月一日，在桂林病逝。

本文摘自一九二五年一月出版的《天籟》第十四卷第六期，記錄者藍孕歐生平不詳。

井田制度底名詞大家都曉得的，但是從來很少人討論這種制度。前五六年胡漢民、胡適之和已去世的朱執信等曾在《建設》雜誌上討論過。當時胡適之謂井田制度是沒有的，胡漢民則謂有這制度，討論了幾個月。我以為這是西漢人「託古改制」的一種國民生計政策（Economic politics）。原來現在所謂經濟學底大部分都是關於國民生計底事情，在事實上經濟學應改為國民生計學，經濟學底德文名詞和英文 National Economics 都是國民生計底意思。國民生計政策約分農業、工業、商業和交通四類。井田制度是關於農業底政策。

我們要研究井田制度，必須參考史科。但是中國歷史多是無聊的記載，所載的不過帝王底私事和殺人一類的事實，這些事實和國民沒有什麼關係。例如司馬光底《資治通鑒》所載的都是這些事實。太史公底《史記》所載的也是殺人底歷史：秦始皇殺人至一百一十六萬，漢光武屠殺三十村，曹操殺人的慘酷「泗水為之不流」。這種自相殘殺的歷史只丟盡了我民族的醜罷了。人類應該互相親愛互相扶助的。中國歷史載了這些慘無人道的戰爭，獎勵殺人的帝王，說些什麼「方今皇上神聖英武」一類的話，你想這種歷史有什麼價值。所以我欲採歷代國民生計史實在不容易的。現在先將關於井田制度的史科，綜合而研究之，批評之。

討論這種制度可分兩層：

1　古代有沒有井田制度？

2　井田制度究竟對不對？

我們要討論第一個問題，就須有證據，通常據為證據的有六種書：

這種書是（Ａ）孟子，（Ｂ）公羊，（Ｃ）穀梁，（Ｄ）韓詩外傳——內傳已失，外傳也不完全，（Ｅ）周禮，（Ｆ）漢書。

孟子說：「方里而井，井九百畝。其中為公田，八家皆私百畝，同養公田。公事畢，然後敢治私事，所以別野人也。此其大略也⋯⋯」

這是孟子對滕文公使來的使者所說的話，我們常聽人說，秦孝公時商鞅廢井田開阡陌，後來大家都罵商鞅不該把好好的制度廢掉，但是商鞅和孟子是同時人。商鞅死後四年，孟子見梁惠王，如果井田制度為商鞅所廢，商鞅為秦臣，所廢的僅在秦國，當然他沒有權力去廢別國底井田。歷代各史從來沒有說秦以外各國都廢井田的記載，那麼各國既有井田制，滕文公為什麼不曉得，卻來問孟子呢？假如各國都把井田廢了，那麼廢也不過數年，滕文公也不至於不曉得而問孟子。況且井田制度假如是有的，是一種很重要的制度，斷非三言兩語可以說得盡，孟子對滕文公的話，不過寥寥數句而已，他自己又說這不過是大概罷了，可見連孟子也弄不清楚了。由此推想，可見井田制度是沒有的；況且照孟子底話，每井有田九百畝，分給八家，每家百畝，餘百畝為公田，由八家公種，將所得的以納田賦，可見公田是每井底九分之一，這是很明白，而孟子自己說是十分之一，豈不是自相矛盾嗎？

公羊說：「古者什一而藉。古者曷為什一而藉？什一者，天下之中正也。多乎什一，大桀小桀。寡乎什一，大貉小貉。什一者，天下之中正也，什一行而頌聲作矣。」

由這看來，可知《公羊》一書，並沒有說及井田制度，所說的是

一種稅則罷了，所以把公羊所說證井田制度底有無是不對的。

《穀梁》和《韓詩外傳》，關於井田的說法，比孟子進步得多，這兩書說一百畝公田不是八家合耕，乃是八家分耕，每家十畝，餘二十畝用為建築房子。

《周禮》一書，是劉向等所偽造的，其中關於井田的說法更進步了。近來外人華拉斯言土地問題和井田制度，有相似的地方，但是土地有肥瘠，怎能平分呢？所以大家駁斥他。《周禮》一書免了這層毛病，不是每人給田百畝，乃按田底肥瘠而分，田瘠的須停一年才可再種，所以每人得瘠田二百畝。田更瘠的須停三年，所以每人得種田三百畝。這種說法較為圓滿。《周禮》說「凡為都鄙，制其地域而封溝之；以其室數制之。不易之地家百畝，一易之地家二百畝，再易之地家三百畝。」

由此看來，我們可以曉得井田制度，純然為西漢時一種學說。孟子和世所謂廢井田的商鞅同時，尚且弄不清楚，僅簡簡單單說了幾句，公羊書並沒有說及井田制度的事，周禮書是靠不住的，穀梁和韓詩外傳所說的和周禮各書又不相同，乃自董仲舒而至王莽，說者始盛，可見這事就有可疑了。

歷朝底帝王都是殺人的，把人殺幾分之幾，人口減少，沒有人起來反抗，那時就武力統一了。世人只曉得罵王莽、曹操，實則漢高祖、明太祖和其它太祖、太宗都是一派人物，何嘗有什麼分別。他們殺人的總可以在歷史中找得出來。殺人而勝的就是帝王，敗的就是亂賊，實則都是壞蛋。王莽這人卻有些不同，他想實行井田制度，就運動一般文人如揚雄等，假造古書，假說井田制度是古代聖主明王底制度，後來宋朝王安石也想行井田制度，但是安石行井田制度底動機（Motive），是在強兵富國；王莽底動機，卻是推倒漢室而自為帝，人格就有高下不同。他下了冠冕堂皇的法令，盛稱井田制度的好處，

一方面大罵秦無道，又主張廢奴婢，他底法令說：「更名天下田曰王田、奴婢曰私屬，皆不得買賣。其男口不盈八而田過一井者，分餘田予九族、鄉黨。犯令法至死。」又說：「古者設廬井八家，一夫一婦田百畝，什一而稅，則國給民富，而頌聲作。……秦為無道，厚賦稅以自供奉，罷民力以極欲。壞聖製，廢井田，是以兼併起，貪鄙生。」但是後來他失敗了，井田制度竟不可行。他所以失敗的原因有四：

（A）他實行井田制度的時候，就有人反對。

（B）有好制須有好官才行。如國有鐵路問題，沒有好官去幹，就是不興的。從前有一個笑話說：「有一個外國君主送兩匹好馬與俄皇，託俄國鐵路局轉運，不到幾天，他們把兩匹瘦馬換了那兩匹好的，又過幾天以兩頭羊子易之。到了墨斯科變了兩隻小兔了。」這樣的官吏，怎麼可以辦事呢？王莽時的官吏就是這樣，所以把好好制度弄糟了。但是西漢至今，幾兩千年了，貪官污吏仍然一樣呢！

（C）第三個原因是天災，這是沒有法子的。王莽自登位後，各種天災齊來，弄得盜賊蜂起，秩序大亂，他底計劃就失敗了。

（D）第四個原因是他好勤遠略的過失，他想效法漢武帝武功，欲北征匈奴，東征高麗，卻一事無成，卒致失敗。

我們已曉得井田制度是西漢時代底一種學說，所以由董仲舒而至王莽，可以說是井田運動時代，王莽以後就沒這樣熱鬧了。一直至王安石，才舊事重提。這種運動底原因有二：

（A）人口問題——據《帝王世紀》看來，夏禹王時人口有一千三百五十五萬，商紂王時，一千三百七十一萬，以後減至一千一百八十四萬。至漢初戰爭頻仍，人口大減。人類是有理性的，而好殺人之心，竟和臺灣差不多了。所不同的是臺灣生番殺人，要死人底頭殼，放在家裏，作裝飾品，以示榮耀人前。就幹這事罷了。漢初人口減

少，漢武帝時，約有一千三百餘萬，後增至一千五百萬，至漢平帝時，乃增至五千九百五十一萬，比從前多四千餘萬。因人口增加，生計問題就起來了，那時候約有田八十二萬七千五百三十六畝（？），漢平帝時有一百二十二萬三千三百六十二戶（？），平均每戶僅得六十七畝。

（B）那時人口已增，田地不敷分配，而一般權貴，又任意霸佔，卒致無法可救。於是有人提倡均分土地，如《平準書》所說「……弘羊以諸官各自市相爭，物以故騰躍，而天下賦輸或不償其僦費，乃請置大農部丞數十人，分部主郡國，各往往置均輸鹽鐵官，令遠方各以其物如異時商賈所轉販者為賦，而相灌輸。置平準於京師，都受天下委輸。召工官治車諸器，皆仰給大農。大農諸官盡籠天下之貨物，貴則賣之，賤則買之。如此，富商大賈亡所牟其大利，則反本，而萬物不得騰躍。故抑天下之物，名曰平準。」

到了這塊，我們就討論第二個問題──井田制度究竟對不對，有利還是有害？

井田制度，在古代人口稀少生產不發達的時候，是很好的，因為每人賜與一定的田，令其耕種，將公田所得的以納賦稅，桑弘羊底平準說，就是這種意思。但是人口增加是無限止的，田地是有定的，到了人口太多田地當然不敷分配，那就糟了。

王莽主張井田制，和馬克斯底主義似乎相同的，但是王莽是中國人，所主張的都很和平，不願擾亂社會，和馬克斯所主張的階級戰爭不一樣。

但是王莽底主張雖覺和平，井田制度斷不能解決現在經濟問題。因為現在生產複雜，不像從前這樣簡單了。我們現在只須大家互助，大家合作，生產事業，就可擴充經濟問題，就有解決的可能。近有人發明可以從裏頭得著一種廢料，用以肥田，可增加許多糧食。又如揚

子江底水，盡可以利用為生產之用，只希望大家求進步，能互助能合
作就妙了。

上海之勞工

蔡正雅

　　原編者指出，（1932年11）月之十一日晚七時，商學會敦請上海市社會統計科科長、國際統計學會會員蔡正雅先生來校演講。蔡先生精於統計，更善口才，聽者莫不眉飛而色舞。記者恭聆之下，執筆錄之，後以時間匆促，未能求正於蔡先生，滄海遺珠，在所不免，願大雅諒之。

　　據上海財經大學網站，蔡正雅（1897-？），浙江吳興人，在美國紐約大學獲理學士學位，曾任暨南大學、光華大學教授。一九三三年起任國立上海商學院（上海財經大學前身）教授，兼工商管理系主任。根據文中「工人囂張異常」、「中國之工人家庭實為腐敗已極」等內容，顯然，蔡正雅的觀點不僅錯誤，更說明他是處在工人對立面的，希讀者加以甄別。

　　本文摘自上海理工大學檔案館館藏一九三二年十二月四日出版的《滬大》（其時為《滬大周刊》）第二十卷第七期。由李晟孫記錄（滬江大學商學系學生，1936年畢業，當時在讀）。

　　勞工問題很不易講，既不能偏之於資方，又不能偏之於勞方，我今以公正的態度，就事實方面來講上海之勞工。至於勞工問題之如何改善，則願諸君共思之。

　　諸君，時而有罷工、停業、勞資糾紛等問題之發生，蓋以勞資雙

方實處相對地位，有如水火之不能相洽也。欲明上海之勞工情形，不得不先明所謂罷工、停業、勞資糾紛三者：

一，所謂罷工者，即勞方對於資方有所要求，而資方不能及時承認，乃暫時停業工作，以相要脅。

二，所謂停業者，適於罷工相反，即資方對於勞方有要求，而勞方不能允許，於是資方有暫時停止其營業，以脅勞方之承認。

三，所謂勞資糾紛者，資方對勞方，或勞方對資方有要求，而未至停業罷工之地步，正在設法轉圜，名之曰勞資糾紛。

現在我將本市自民國十七年起，至二十年止，四年中之罷工案件，作一統計報告，民國二十一年，則因為尚未結束，故不列入。

民國十七年本市共發生罷工案件有一百二十次，

民國十八年本市共發生罷工案件有一百一十次，

民國十九年本市共發生罷工案件有八十七次，

民國二十年本市共發生罷工案件有一百二十四次。

然不能以案件之多寡，而決定此幾年中勞資糾紛之嚴重程度，蓋以案件有大小，暫久之分，不能一概而論也，今以四年中商家受罷工影響者統計之於下：

民國十七年有五千四百家，

民國十八年有一千五百家，

民國十九年有六百七十家，

民國二十年有一千八百家。

由此可見商家之受罷工影響者，逐漸減少，至民國二十年雖又增加，然與民國十七年相較，則相去已遠矣。現既知商家之被罷工所及者，共有若干家，然以此亦不能決定勞資糾紛之程度如何，今以四年中，工人之參加罷工之人數，統計之於下：

民國十七年有二十一萬人，

　　民國十八年有七萬人，

　　民國十九年有六萬人，

　　民國二十年有近七萬人。

　　由此可知，自民國十七年後，工人參加罷工者即大減。然以工人之參加罷工之人數亦不能決定罷工之程度如何，今以四年中，以工數損失數報告於後：（一工者即每一工人一天所做工作。）

　　民國十七年共損失三百萬工，

　　民國十八年共損失七十五萬工，

　　民國十九年共損失八十一萬工，

　　民國二十年共損失六十二萬工。

　　今再以工資損失方面作一報告：

　　民國十七年共損失一百六十萬元，

　　民國十八年共損失十九萬元，

　　民國十九年共損失四十七萬元，

　　民國二十年共損失三十二萬元。（其它無形損失則不能調查。）

　　由上列各種情形，可以決定其勞資糾紛之程度如何。在此四年中，當以民國十七年為最嚴重，其後即漸次改輕。蓋民國十七年時為革命軍初至，政治情形，社會秩序，皆十分混亂，工人囂張異常，其後政治日漸統一，社會日趨安定，而勞資糾紛亦日減少也。

　　考罷工之原因雖甚繁多，然其最大原因不外：

　　（一）因工資問題，

　　（二）因解雇問題，

　　（三）因勞資契約問題，

　　（四）因待遇問題。

　　現我以四年中因此四大原因而發生之罷工案件，統計之於下：

　　（一）四年中因工資問題而發生罷工風潮者：

民國十七年占全部百分之二十三，

民國十八年占全部百分之二十三，

民國十九年占全部百分之四十一，

民國二十年占全部百分之二十一。

由上可知工資問題實為勞資雙方爭執之焦點，緣以工資為工人生命之源泉。

（二）四年中以解雇問題而發生罷工風潮者：

民國十七年占全部百分之二十，

民國十八年占全部百分之三十二，

民國十九年占全部百分之十五，

民國二十年占全部百分之二十八。

由此可見解雇問題亦甚重要。蓋工人團結甚盛，一旦見他人被解除工作，則擔心團體勢力減弱，並有兔死狐悲之感，故每有解雇情形發生，工人全體必極力設法阻止，甚至釀成罷工風潮，亦所不惜。

（三）四年中以勞資契約問題而發生罷工風潮者：

民國十七年占全部百分之十四，

民國十八年占全部百分之十四，

民國十九年占全部百分之十四，

民國二十年占全部百分之九。

勞資契約問題亦易發生工潮，或因契約過期，或因契約不善。

（四）四年中以待遇問題而發生罷工風潮者：

民國十七年占全部百分之十一，

民國十八年占全部百分之十，

民國十九年占全部百分之十，

民國二十年占全部百分之十三。

工人因資方待遇不善而引起罷工風潮，皆以工房黑暗，設備不周，工作時間太長等。

現我以四年中由上列四大原因而引發之罷工風潮，加以統計；

民國十七年占全部百分之六十六，

民國十八年占全部百分之八十，

民國十九年占全部百分之八十，

民國二十年占全部百分之七十一。

於此可以證明此四大原因之重要。若能將此四大問題解決，其它小問題亦能迎刃而解，罷工風潮亦無由發生矣。

我既已把四年中罷工之情形，罷工之原因，大概講過，現以罷工之結果，略告諸君。

（一）四年中勞方要求完全接受者：

民國十七年占全部百分之三十九，

民國十八年占全部百分之二十九，

民國十九年占全部百分之二十四，

民國二十年占全部百分之十八。

（二）四年中勞方要求一部分接受者：

民國十七年占全部百分之三十三，

民國十八年占全部百分之三十七，

民國十九年占全部百分之四十四，

民國二十年占全部百分之二十六。

（三）四年中勞方要求完全不接受者：

民國十七年占全部百分之十，

民國十八年占全部百分之二十九，

民國十九年占全部百分之二十五，

民國二十年占全部百為分之四十。

　　由上可知在民國十七年勞方最為膨脹，資方俯首從命，不敢反抗，蓋當時工人團結力最大，其後日漸衰微，資本勢力又日漸增高，於是工人要求，允許者百不足十焉。

　　停業之發生甚少，在民國十七年並無發現，其後即有發生，位數亦甚寥寥，惟自「一・二八」暴日入寇之後，店毀廠破，不能維持因而停業者，不在少數，其嚴重程度，或駕民國十七年而上之。

　　勞資糾紛則在四年中差不多每年中有三百六十餘次，平均每日有一次，甚矣哉。資勞雙方之不能融洽也。以上所指均為工廠工人，至於非工廠工人，如碼頭小工等則不在內。

　　本市中共有二十一業認為最重要，其中共有二千三百二十六家工廠，若以工廠法中須以滿三十工人方能稱為工廠而講，則只有六百九十七家為合格，滿四千人之工廠則竟無有，與美之重要工業城市相較，則瞠乎其後矣。

　　全市中二十一個重要工業中，共有二十八萬五千七百餘工人，工人中除電機工匠等工資較大外，其餘工資甚小，其工資率之調查統計如下：

　　男工每天能得工資七毛五分，

　　女工每天能得工資五毛，

　　童工每天能得工資三毛六分，

　　平均三者工資每天為五毛七分。

　　若加以雙工分紅除去罰款等計算，則：

　　男工每月可得工資二十四元，

　　女工每月可得工資十三元，

　　童工每月可得工資九元，

　　平均每月可得工資十六元。

上海絲紗業廠中，多雇傭女工，或竟完全用女工，童工亦夥，占全數百分之四十一，總計上海工人中以女人為多。

工作時間大概男工較女工為短，其平均統計如下：

男子工作時間為十小時半，

女子工作時間為十一小時，

童工工作時間為十小時，

平均工作時間為十時六分之三。

工人生活情形究竟如何，此諸君所欲知者，今略述之：平均工人五口之家，每年須有四百餘元，方能過去，故大多除收入之外尚須負債。今將各種費用分析之！

食占其費用全數百之五十三，

衣占其費用全數百之七・五，

住占其費用全數百之八，

材料占其費用全數百之六，

雜用占其費用全數百之二十五。（此項比較天津廣州各埠之工人皆高，不下外國，以其無謂之消費，如香粉煙酒等多故也。）

平均工人家庭費於正當娛樂者，每年不過一元七角，

平均工人家庭費於子女教育費者，每年七毛七分。

由上看來，中國之工人家庭實為腐敗已極[1]。

---

1 此說有誤，不符合「恩格爾係數」關於食品支出總額與個人消費支出總額比重之間關係的界定，也不符合實際。德國統計學家恩格爾根據統計資料，對消費結構的變化得出一個規律：一個家庭收入越少，家庭收入中（或總支出中）用來購買食物的支出所占的比例就越大，隨著家庭收入的增加，家庭收入中（或總支出中）用來購買食物的支出比例則會下降。推而廣之，一個國家越窮，每個國民的平均收入中（或平均支出中）用於購買食物的支出所占比例就越大，隨著國家的富裕，這個比例呈下降趨勢。簡單地說，一個家庭或國家的恩格爾係數越小，就說明這個家庭或國家經濟越富裕。反之，如果這個家庭或國家的恩格爾係數越大，就說明這個家庭

　　總之，工潮之發生，在於勞資雙方之不得平衡；工人勢力太大，則工業前途不易發達；資本家勢力太大，則工人易受壓迫；最佳之情形，當為勞資兩方求其平衡。此外，工人家庭亦急需改良，否則誠甚危險也。

　　或國家的經濟越困難。這裡的實際情況是，工人的總體收入水準過低，只能滿足基本的食品消費需求。蔡正雅此說顯然體現了他所代表的階級利益和他本人的立場。

上海勞工生活概況

某女士

　　原編者指出，本文為六月六日女青年會舉行本市各大學學生勞工問題研究會時某女士之講詞，因頗精要，故錄之以實本刊。原記錄者為「韜」（筆名），係滬江大學學生，真實姓名不詳。出自上海理工大學檔案館館藏《新商業》一九三六年秋季刊第四期。根據出版時間推斷，講演時間應在一九三六年六月六日。

　　上海之勞工生活，吾人從日常觀察中可得以下諸普遍現象：（一）自產業革命以後，機器發達，生產工具漸被新式機械所佔代，一般使用舊工具之工人，漸失卻其原有地位，而受雇於工廠。在前手工業時代，工人日出而作，日入而息，整個生活皆自由支配，今則工業繁興，機器廣用，昔日自由之勞工，遂一變而為失去自由受人支配之刻板生活；（二）工廠應用機器，規模宏大，生產商品，數量極巨，非惟供給本鄉本邑之採用，抑且供全國全世界之需求。此所謂生產之商品化，生產事業純以贏利為目的，則生產過剩，勞工又被排擠於廠外，造成失業工人漸增之傾向；（三）吾國現處於半封建半殖民地之地位，勞工大眾，自亦不能例外，即所謂半封建半殖民地化是也。

　　上海勞工生活狀況，可分兩方面敘述：

一　經濟剝削

「九一八」以後，多數大紗廠皆落於日人之手，彼復運用種種方法，與吾廠商競爭，各廠無力應付，相繼倒閉者，不在少數，即有所存在，亦一線生機，朝不保夕。今年因受走私影響，情勢或將更趨惡化，於是工人失業問題，亦隨工廠失敗而漸趨嚴重。廠商遭受困厄，層見迭出，煙廠運輸出售，多無保障，火柴廠烏煙瘴氣，漸有倒閉，絲廠似呈覆興氣概，但外強中乾，恐亦難以樂觀。故吾人從民族工業方面看，勞工失業為普遍之現象。據國際勞工局發表最近全國失業勞工估計，三千萬勞工總數中，失業者竟占六百萬之眾，其數已覺可驚。況彼輩因迫於飢寒，出賣其勞動力，絕不能等待移時。可見勞工失業，是一至大之社會問題也。

減工制度極為苛刻。三四年前月得三四十元之工人，今漸漸而僅得十二三元，甚或八九元矣。兩年前，某織綢廠增加工人工作，令每工人管理八輪機器，工作時間延長為每日十二時以上，遇日夜班交替時分，更故意延長工時，以盡其剝削勞動力之能事，而工資卻分文未增。某外商紗廠且用木棒計件，按件發給工資，待遇更覺刻薄，工友莫不異常怨憤也。

欲謀工作，須先拜見工頭，或送以禮物，或贈於賄金，務使樂於相助，期早日謀得職位。某外菸廠某工人，曾向工頭購得工人牌子一枚，竟耗金百元借印子債[1]抵用。

其它剝削尚有下列數種：

（一）罰款。吾人參觀工廠之際，常見廠中告白板上揭貼通告

---

[1] 印子錢是清朝時期就已存在的高利貸中的一種形式，放債人以高利發放貸款，本息到期一起計算，借款人必須分次歸還，每次歸還都要在摺子上蓋一印記，所以人們就把它叫做「印子錢」。

曰：「某號女工，因與工友談笑，罰工資一天。」或有揭示曰：「第幾
號工人某日息工，須罰兩日工資以儆。」按此，復據熟諳工廠內部情
形者云：「現在留廠之工人，幾無有不受罰款處分者。」

（二）存工。即廠方為防止工人中途不繼續進廠工作，而受存此
筆類似押櫃金之保證，平常總約在兩三星期工資額左右，此款工人不
得領取。據云，該項存工十之八九，多無端被廠方醫藉故扣除。

（三）發給工資時，零星洋水，輒不予現銀及輔幣，而代之以特
種代價券。此種代價券，僅限於在廠中特設之合作社交換貨物，廠外
不能流通，且合作社中之貨價，必較市場為貴。

（四）高利貸，即如印子債，多因工人經濟窘迫，不待出賣其勞
動力，而向廠方移借，廠方亦正利用其優越之地位，而作進一步之
剝削。

（五）減低工資，廠方既握其優越權利，榨取勞工，勞工自身恐
遭失業，忍氣吞聲，悉仰其鼻息，雖減低工資，亦極願從事工作，於
是生活情形，更愈趨於下矣。

二　超經濟剝削

經濟剝削之外，尚有其它種種剝削手段，或有關於肉體或有關於
精神，故名之曰超經濟剝削，舉其較重要者言之約有下列數種：

（一）對勞工施用暴虐手段，體罰、軟禁，無所不為，此種毒打
工人之辦法，在英國、印度諸國，從未曾有發現，卻惟我國勞工大眾
獨有之遭際也。余曾在山西，目擊有一工人，被禁斗室中，歷二十四
小時之久，始行釋放。所以勞工無論何時，皆有被捕之可能，甚且有
遭受資方任意開除之危險。至於罷工權，以及自由組織勞工團體等權
利，法律雖有明定，但實行上萬難得到保障。

（二）工人普遍地受人輕視，一般社會常任意對待工人，簡直有不以人類看待工友之慨，言之痛心。每有為舉辦工友識字學校而商借校舍者，有意想不到之困難，抑尤有為輕視觀念所作祟，故意從中阻撓。故工友若不衣履清潔樸素，態度恭敬嚴正，豈非更將遭受賤視乎。

（三）包身工制。工頭至鄉間招收女工，當時在彼輩家長面前，花言巧語，說得天花亂墜，並以利益引誘，既得同意，乃定立合同，年限三年或兩年不等，然後由工頭付給二三十之代價，（分期交付者亦有）率領該青年女工進廠作工，從此該女工兩三年之個人自由，盡操諸工頭之掌握矣。初時為養成工，數月後，升為正式工人，所得工資，皆由工頭按月向現金出納員領取，女工衣食住行，皆由工頭供給，住所極其污穢骯髒，臭蟲蚊蠅，觸目皆是。每日二粥一餐，青菜為唯一佳餚，而此種青菜又為自菜場拾得之發碎老葉，無濃油醬調味，色澤枯黃，而女工猶以為味美也。夜間午餐，每人發給銅元六～十二枚，令其購大餅充饑，實際上工友皆節儲此款，以備他日採辦衣服之用。女工在合同規定時間內，不得缺席，請假一天，至期滿後，須以一天補足。甚至因工頭兇惡刻薄，強令女工須以一月補償其合同期內一日之缺席者。女工須受工頭指揮，工頭所云所語，工人當惟命是聽，否則，即將遭其無端之毒打也。以上，為半奴隸半工人制之「包身工制」之大概，余敢謂「包身制」下之工頭，無異於土皇帝，女工，無異於奴隸，較奴工尤倍受痛苦也。

（四）童工。紗廠、電鍍廠、電燈泡製造廠，尚有童工發現，尤以在兆豐路董家渡一帶小鐵廠中之童工學徒為夥，彼食宿機旁，整日夜做工二十四小時，年齡大致在十三四至十七八之間，兼操廠主家中瑣事，面青肌瘦，滿身污黑，其狀堪憐。

（五）傷害。基於工廠不講求衛生及缺乏安全設備，而發生工人傷害問題，對工友本身極為不利，倘不幸傷及要害，成為殘廢，或根

本死亡，則其家庭日後開支，將有何寄託。而廠方則無津貼及撫恤費。前某大鹽廠，有工人跌落鹽池中，致遭慘死，為工廠無安全設備貽害工人之一例。故望廠方對斯二種設置，加以注意。

（六）工廠設備及環境不良、溫度失調、室中充滿炭氣，及含有煤屑之空氣，故紗廠工人常患癆病。既患病矣，而半日工作又難謀。不作過度之全日工作，即有被停歇之危險，或謂「工人不病則已，病多不起」。斯言誠然。

（七）住宿問題。嘉興路一帶，河邊船上，浦東河旁，麥根路[2]畔，皆有臨河構成之小屋，此工人住宅也。此外鴿籠式之巷堂房子，已算得自由工人之舒適公寓，包身工決不能望其項背。一樓一下，恒住上四十～八十人之多，余可概見矣。申新第六紗廠，雖有工人住宅，設備完善，但工人思想行動之自由，幾被剝削殆盡。如廠中揭一標語云：「本廠組織完善，不用工會。」且每人不得自由出入，其束縛可見一斑矣。

（八）工人教育。自從本市提倡識字運動以還，多數工廠已有工友識字學校之增設，但考之實際，類多敷衍將事，教學時間至多在十分鐘左右。教導方法極其可笑，舉一例以明之：如教「團結」兩字，則教師解釋云：「團是櫥子之團。」「結，是結婚之結。」由職員擔任教務，態度帶有戲謔，少有將其正字義講解者，故由工廠擔任工人教育，是否妥當，尚為一大疑問。

2　現在的鐵路上海站習慣上也稱新客站，是在上海東站（1987年撤銷）原址建造的。上海東站原先的名字則叫麥根路貨站。麥根路站1913年開站，因其設在麥根路（markham）上而得名。車站實際由英國人控制。隨著麥根路站落成，原先附近的自然村落陸家宅、譚家宅和沈家宅逐漸瓦解，薈瓜弄和麥根路站附近新形成的潘家灣、譚子灣、藥水弄等，成為了上海當時最大的「貧民窟」。1950年上海總站改稱上海站後，原由總站管轄的麥根路站獨立經營。1953年1月，麥根路站改名為上海東站，從此結束40年來殖民地色彩的站名。麥根路後稱泰興路又名淮安路，就是現在的康定東路。

上海勞工之困苦，於此可見一斑，國內其它各埠勞工生活之不及
上海者，恐亦不在少數。勞工生活之優劣，直接有關於產品之品質，
間接有關於貿易之盛衰，而於民生國計，俱有莫大之利害關係，深冀
研究社會經濟諸家之有以改良之也。

非常時期之經濟

馬寅初

　　馬寅初（1882-1982），經濟學家、教育學家、人口學家。一八八二年生於浙江嵊縣，一九〇一年考入天津北洋大學，一九〇六年赴美國留學，先後獲得耶魯大學經濟學碩士學位和哥倫比亞大學經濟學博士學位。一九一五年回國。一九一九年任北京大學第一任教務長。一九二八年任南京政府立法委員。一九二九年後，出任財政委員會委員長、經濟委員會委員長，兼任南京中央大學、陸軍大學和上海交通大學教授。一九三八年初，任重慶大學商學院院長兼教授。一九四九年八月，出任浙江大學校長，並先後兼任中華人民共和國中央人民政府委員、中央財經委員會副主任、華東軍政委員會副主任等職。一九五一年任北京大學校長。一九六〇年一月四日，因發表〈新人口論〉被迫辭去北大校長職務。平反後擔任北大名譽校長。一九八二年五月十日因病逝世。

　　本文原編者指出，南京勵志社[1]於五月八日請馬寅初君講非常時期之經濟問題，聽者兩千餘人。經查，滬江大學中似乎沒有「南京勵

---

[1] 勵志社是1929年1月蔣介石效仿日、美軍隊在南京建立的一個軍官俱樂部性質的組織。社長蔣介石，實際負責人為總幹事黃仁霖。勵志社在全國很多地方設立了分社。該社是以黃埔軍人為對象，以振奮「革命精神」，培養「篤信三民主義最忠實之黨員，勇敢之信徒」、「模範軍人」為目的的軍事組織。勵志社的建立同時也為國民政府首腦及官員提供了後勤、日常生活及娛樂服務的場館。後逐漸演化成特務組織。

志社」類似組織。據此可以推斷,該講演不一定是在滬江大學內舉行的,很有可能是原編者收錄進來的。

　　本文摘自上海理工大學檔案館館藏《新商業》一九三六年夏季刊第三號。

　　非常時期之經濟原則,與平時不同。譬如平時以自由競爭為原則,南京市內之電影院營業興旺,新設者接踵而起,互相競爭,故有今日之進步。一至戰時,社會資金須集中於戰勝一點,不應再供給建設戲院之用,故政府應出面干涉,停止自由競爭之作用,此戰時經濟與平時經濟不同之一點也,此其一。政府既出面干涉,勢非統制不可,有主張以歐美在歐戰時所用之統制方法用於中國者,此為大誤。蓋大工業國之統制易而農業國之統制難也。大工業國之生產多集中於幾百個脫辣斯[2]之手,此種大公司,在平時故可製造普通用品,一至戰時,普通用品銷路驟減,非改造軍需品不可。政府為軍需品之大顧主,故各工廠非受政府之統制不可。且戰爭之期限不可預料,若戰事於短時期內停止,則大量產生之軍需品將賣於何人,故私人公司非得政府賠償損失之保障,往往不專從事大量之生產,情願受政府之統制,此其所以易也。若夫農業國則米麥棉為軍需品,並為普通品,非一定要賣給於政府,即今年賣不出,待至明年亦可,不必靠政府之收買,故不必受政府之統制。況農民人數眾多,幾乎每一個農民一個單位,單位越多統制越難,不如大工業國幾百個大公司之易於統制也。但亦不能不統制,因一旦戰爭爆發,百物以供不應求咸向上漲,加以各種生產費,如運費、保險費、利息以及稅捐等等,均較平時為高,物價當然上漲,此時必須有一種切實可行的統制方法,即一面增加生

2　即托拉斯,壟斷組織的高級形式之一。

產，男女老幼，均應盡一分的責任，一面節約消費，節約亦必須加以統制，民間自動的節約等於不節約。統制之法甚多，在中國最適應者，為（一）勸導，如「一·二八」之役，十九路軍所得之絲棉衣服，皆由勸導得來；（二）加稅，如錫可以供軍需，此時不應用以制錫箔，以加稅的方法制止之；（三）定量分配，如汽油為吾國最感缺乏之物，此時應竭力節約，每人每周所用，不得超過若干加侖。吾人須知戰時最可怕者為物價上漲，窮人生活困難，不免鋌而走險，影響於前方戰事，且另一方面物價上漲，造成暴富的階級，愈使一般人大感不平，因而內部容易發生衝突，不得不於事前避免。除增加生產節約消費之外，尚須力避通貨無限之膨脹，使物價不致上漲。吾之所以不主張紙幣政策者為此。至於加稅，亦可採用，但間接稅易於移轉，仍落於窮人身上，並使物價上漲，不宜採用，應採用者為直接稅，如所得稅等，不易移轉，為富人所負擔，不影響於物價。所得稅之基礎既立，則於戰時可以徵收暴利所得稅，以服一般人之心。如此辦理，窮人出人力，富人出財力，負擔平分，事或有成，否則深恐造成社會之大不幸也。

中國茶業之復興

壽景偉

　　壽景偉（1891-1959），後改名壽毅成，曾名肇強，別號荼傭、心月居士。浙江諸暨人。一九一四年畢業於北京國立法政專門學校，後在浙江法政專門學校任教。之後去復旦大學教授「信託業論」，兼任吳淞中國公學財政學教授。一九二三年，入哥倫比亞大學經濟研究院攻財政，獲博士學位。回國後進東南大學講授商業經濟。一九二九年，受國民政府派遣為中國出席國際商會代表團團員，並代表中國教育界參加了日內瓦世界教育會議。回國後，積極協助劉湛恩創辦滬江大學城中區商學院，並擔任首任院長[1]。不久回浙江任中國銀行浙江分行經理，創辦浙江商學社。一九三四年後，轉入銀行和商界工作。論著有《中國的民主與財政》、《勞工問題面面觀》、《日本專賣制度考略》等。

　　原編者指出，滬江大學城中區商學院，為增進諸同學新知識計，每月例有「學術演講會」之舉行，延請國內外專門學者，蒞臨演講。四月二十一日下午五時半，特請該院前院長，中國茶業公司總經理壽景偉先生講演，中國茶業之復興，演辭甚長，語多警惕！茲特記其概

1　王立誠著《滬江大學簡史》附錄一注明，1930-1931年，滬江大學商學院的院長是壽毅成，在教師名單中又注明壽景偉博士是1931-1932年間的兼職講師。實際上兩者應是同一人。

要，以饗讀者。根據講演內容可知，壽景偉曾被派出國考察茶業，回國後籌建的中國茶業公司剛剛誕生。

　　本文由張個儂（滬江大學學生，年級專業不詳）記錄。摘自上海理工大學檔案館館藏《新商業》一九三七年季刊第二卷第二期下。

　　我今日的講題為：〈中國茶業之復興〉；在未說到本題之前，應先向諸位報告華茶的簡史，及盛衰諸點：

　　講到茶的歷史，在紀元前數百年，我國人對於茶的種植採制及烹飲等法，均已發明很完備。後來，唐時的陸羽[2]曾著《茶經》，是為我國最早一部說茶專著。此外，還有許多歷史上的名人，對於茶有很特殊的癖好與研究。從這一點上，可以看出我國人對於茶的研究興趣是怎樣的濃厚，認識是怎樣的深刻了！所以茶在我國的各級社會裏，是一件「一日不可無此君」的東西。其重要並不亞於我國民族所恃作主要食料的米麥等五穀，而且對於「飲食」、「茶飯」，相提並論，先「飲」後「食」，首「茶」繼「飯」，照此推論：一般人對於飲茶解渴，品茗消遣，竟比吃飯還更有意義。直到如今，我國各地的社會大眾，猶有上茶館「茗敘」的習慣，這無怪茶在我國的生產和銷售，要呈現出突飛猛進、異常發達的氣象了！這是茶在我國之史的發展的簡況。

　　但這不能算是華茶最盛的發達時期。按之過去的歷史，我國茶業的黃金時代，當在海通以後，我國初與東西各國通商，以至「歐戰」

2　陸羽（733-804），字鴻漸，唐朝復州竟陵（今湖北天門市）人，號竟陵子、桑苧翁、東岡子，又號「茶山御史」。一生嗜茶，精於茶道，以著世界第一部茶葉專著──《茶經》聞名於世，對中國茶業和世界茶業發展做出了卓越貢獻，被世人譽為「茶仙」，尊為「茶聖」，祀為「茶神」。他對茶葉有濃厚的興趣，長期實施調查研究，熟悉茶樹栽培、育種和加工技術，並擅長品茗。

的前數年的幾十年間，迴非其它商業所可企及。諸君都知道我國自古是以農立國的國家，中國是世界著名的唯一農產國，茶是我國的主要農產品之一，那時的產額，非常龐大，雖無一定的統計數字可稽，但從供給全國人口的消費以外，並供全世界各國的消費，而不虞匱乏這一點來看，可以知道當時的生產數量，是何等的巨大可驚啊！因為那時的世界各國，差不多百分之百的人吃中國茶葉，並沒有什麼印度茶、錫蘭茶、日本茶、美國茶、俄國茶等發現，即使其時已有了出產，亦為數極微，且無人肯用做日常的飲料，這是我國之茶葉在史之發展上最光榮的一頁，實可稱它作「黃金時代」。

彼時茶在我國的出口貿易上，占著極重要的地位，諸君試看往年的海關出口報告冊上的統計數字，便可以明白茶在那時是居於出口貨的第一位，而蠶絲、大豆、桐油等等，卻居其次位，由此可知其關係於我國整個民族的經濟地位及影響，是如何的重大了！因為彼時各國都採用華茶作飲料，所以我國的茶業，才有這樣的興盛，可惜這種獨有的發達並不能永久保持著，後來卻漸漸地由極盛時代，降而步入衰敗時期，今日已到了極式微的時代。華茶在世界市場上的地位，日就沒落，現在實蕭索得可憐！所有的市場，大多被別國侵奪了去，不但是國外，即國內各地方，如東北四省[3]，及華北一帶，現在亦有難以立足的象徵，全盤統計起來，僅能保持著百分之三十的銷路，這是何等的慘敗，令人傷心呢！茶是我國出口貿易的大宗，同時亦是我國農村的主要產品之一，關係於我國國計民生者甚巨，故政府及各地有遠

---

3 指傳統意思上的東北三省黑龍江、吉林、遼寧，加上中華民國時期塞外的熱河省。1933年後，都被日本人侵略，劃入偽滿洲國的範圍。熱河省的省會是承德市，位於目前河北省、遼寧省和內蒙古自治區交界地帶，1914年2月劃出，1955年7月撤銷，分別併入河北、內蒙、遼寧。現在東北四省的說法一般指黑龍江、吉林、遼寧及內蒙古。

識的實業家，都認為非積極復興茶的貿易，不足以振奮農村及整個民族的經濟。但因這一問題太大了，非集中全國的財力和才力，不足以言復興；且須於事前先下一番考察的苦功，及具備統籌的整個計劃不為功！這便是我國茶業復興的動機，和政府特派兄弟前往各國去考察茶業的緣由。

當我去年在日本考察時，深深地感覺到日茶之所以能後來居上，奪占中國茶的世界市場，並反向我國內地各處傾銷，其最大原因，雖為利用科學方法、管理、統制及技術方面的徹底改善，力求增加生產減低成本，便於大量傾銷。但有一點，最是令吾人不可忽視的，就是日茶之所以能孟晉[4]到目下地步，是有三井、三菱等巨大財閥做茶商們的領導，供給巨量資本，使他們充分的應用財力，延聘種種專門技術人才，設置各種最新式的機器，作經營的基礎。同時我們應該深自反省，既沒有像三井、三菱等一類大資本家；又從未有利用科學方法，加以統制及管理並檢驗出品，使產銷密切合作；技術方面老是固步自封，不向最新方面邁進，是財才兩缺；根本上欲謀復興我國的茶業，須特注意財的問題，因人才可以延請客卿，新式器械，可以置備；科學方法，可以仿傚；技術方面，可以改良；只要有錢，都易辦到；反之那就根本談不到了！

所以兄弟考察回來，便建議政府，主張用政府的偉大力量，主持並取官商合辦的方式，集中全國的財、才兩力來合作、解決這件茶業復興的大問題，這便是發起組織中國茶業公司的動機。

在未開辦中國茶業公司之前，所首先進行的工作——這種工作，可說是復興中國茶業之基礎工作——那便是：考察、調查、統制皖閩

4　意為努力進取，進取。章炳麟〈駁康有為論革命書〉中曾有云：「人心進化，孟晉不已。」

浙三省紅茶的運銷；這是我們在去年已經辦理，而且頗有成績的一件事。

到了今年，因為統制三省紅茶，頗諸成效，遂更覺統籌徹底革新，以謀中國茶業之整個的復興，為急不可緩；因遂草擬了創辦中國茶業公司的計劃書，及公司章則等，呈請實業部，轉呈行政院核議。現在已經行政院核准，進行籌備，組織一大規模的官商合辦之茶業公司，資本金額共計兩百萬元，官股方面，已經行政院指令實業部撥足，商股方面，亦由各茶商及銀行認購繳足。公司現已開始營業，正式開幕的日期，亦近在眉睫了。

現在，我國既有了這個新組織的大規模茶業公司，做復興中國茶業的中流砥柱，對於種植、採摘、烘製以及管理、運銷、檢驗等，完全用最新發明的科學方法及器械，並廣羅專門人才，開始積極進行訂有完密的營業計劃。我們正按著計劃，逐步實行，對內對外，兼籌並顧，同謀發展，以期能奪回中國茶在國內及國外的原有市場！

照著目前的情勢，預計將來的發展，正是「方興未艾」，果能按步實現，則中國茶業之復興，料想決非難事！只要我們努力，絕不會不成功的！俗話說得好：「只要功夫深，鐵杵磨成繡花針。」這便是我們今日唯一的信條！

饒伯森在廣播上的兩次演講[1]

饒伯森

　　饒伯森博士 （Dr. C. H. Robertson 一譯羅伯遜），原任美國普度大學（University of purdue）機械工程教授。一九○○年來華，任天津基督教青年會幹事。饒伯森是美國普度大學畢業的跳高名將，擅長演講。曾到京津各校介紹西方近代體育之各項球類及田徑運動，宣講體育之作用，致使「各項體育活動鵲起」。一九○八年，第四屆奧運會前夕，為使我國青年了解奧運會，饒伯森做了〈中國參加奧運會的前景〉演講，並配合放映了奧運會盛況的幻燈，激起同學們對奧運會的極大興趣。

　　此次講演之前，饒伯森曾來過滬江大學發表演講。華東師範大學圖書館館藏一九二○年十一月三十日出版的《滬江大學周刊》第十卷第一期頁三中記載的校內新聞：二十八日晚六時半，本校特請美國科學碩士饒伯森先生演講「無線電報暨無線電話」，並將無線電具實地試驗。饒伯森又在青年會逐次將無線電報以及無線電話之內容詳細解釋。本校格致科同學往聽者頗不乏人云。這和《滬江大學周刊》第十卷第九一○期（1921年1月1日出版）頁十八民國九年大事記的記錄相吻合：十月二十八日，饒伯森先生來校演講「無線電話」。

　　本講演稿為三月二十一日饒伯森博士通過廣播發表的兩次講演的

1　本文由上海海洋大學教師杜義美翻譯。

摘要。摘錄於華東師範大學圖書館館藏、一九二三年六月出版的英文版《滬江大學月刊》第十二卷第五期頁十～十四。

　　三月二十一日，饒伯森先生接連在廣播上作了兩次演講。該演講受到大家的一致好評。他通過圖例講解向我們大家傳達了下面的信息。

　　在無線電話學的發展過程中，主要有四個重要階段：電磁學的創建；普通電報機及繼電器的使用；無線電報機的問世；無線電話的最終面世。可以說，無線電報機就是無線電話之父，而普通電報機又是無線電報機之父。同樣的，電磁學又是普通電報機之父。所以說電磁學就是「老祖宗」，即無線電話學的開山鼻祖。

　　如果把一塊軟鐵芯做成 U 形，兩極上分別纏上帶有銅絲的圓線，把一根鐵杆放在兩極，當電流通過銅絲時就會產生強磁場。只要一切斷電流，磁力就立刻消失。放在兩極的鐵杆即銜鐵完成了鐵芯的磁場電路。在沒有電流的情況下，如果我們用一根彈簧銜鐵，磁場就會隨著電流的接通或切斷而前後自動移動。稍作變動，我們就會有不同的連結。但是當銜鐵被吸引到兩極時，電流自動接通。電流一切斷，鐵杆就失去了其磁力，銜鐵又被彈簧吸回去。銜鐵就這樣前後自動來回。電鈴裏就使用了這種聯接。

　　電磁被廣泛應用在普通電報機裏。在兩極間來回搖擺的銜鐵發出聲響，這就是電報機發聲器。假如我們在銜鐵上增加一枝筆，也許就可寫下電報密碼。通過調節電路開起和閉合的間隔時間，電報就能發送出去。例如，如果我們用兩個長音代表 M，一短一長音表示 A，一長一短代表 N，那麼這個組合傳達的就是「man」。

　　當發報站和接收站相距很遠時，電流的強度會因為電阻的關係而持續減弱，產生的磁力會無法吸住銜鐵，這時候就需要使用繼電器，銜鐵重新被吸住，電流又接通了。一旦電流接通，一個局部電池組就

形成了。後面的接收第二站和發報第三站又由前一銜鐵來聯繫，銜鐵本身是靠第一個發報站傳送的電流來控制的。

　　幾年後，人們發明了無線電報機，最簡單的發報是靠電池、感應線圈和火花塞來進行的。感應線圈將「7V」的電壓轉成「220V」。藍色的火花每秒無數次閃過火花塞，將直流電轉成交流電並且產生振動，振動刺激乙醚，產生向各個方向釋放的電磁波。它們肉眼看不見，鼻子又聞不到，幾乎沒有重量，人類靠感官系統是無法感知的。在電報接收站，人們利用儀器設備來探測通過其運動產生電流的電磁波。

　　在電報接收局，探測器是最重要的東西之一，因為只有探測器才會對乙醚波有反應。早期的探測器即檢波器是一個兩極間有少量金屬屑的小玻璃管。這些金屬屑能產生電阻但對電磁波具有較好的傳導性。有了檢波器，我們就實現了局部網站的電路。檢波器就持續地導電，直到遇東西敲擊。因為檢波器本身不能選擇其動作，我們就需要使用小繼電器即電流斷流器來切斷電流。大約二十年前，出現更高級的探測器和耳機，無線電話得以問世。

　　每一個無線接受器都有四個重要部件：天線或地線，調諧器，檢波器和耳機。調諧器的作用就是讓接收臺與發射臺共鳴。接收臺的電導和電抗必須與某一電臺發射的特定波長保持一致。天線和地線一樣重要。耳機就是對電磁學另一應用。當兩極間接通電流後，鐵質橫隔膜會振動，產生聲音。耳機並不是對任何電流都有反應，它只對直流電有反應。直流電是單向的，間斷性電流。耳機只對高頻率的交流電產生軛流性（交流電交替向兩個方向流動），基於這個原因，電流需要矯正，頻率需要放大。我們需要晶體或管狀檢波器來實現該目的。晶體檢波器就是由感光點上纏繞細銅線的矽、鉬或方鉛組成的。晶體只允許電流單向流動，使交流電變成了時斷時續的直流電。最好的檢

波器是三極檢波燈泡或電子管，它由一個鎳製金屬板，一根燈絲，一塊鉛板組成。燈絲點燃後，會釋放電子流，電子流穿過鉛板，放電至連接到電池正極的金屬板。由燈絲傳到金屬板的電子就帶上了負電荷。而連接到天線的鉛板就帶上了正電荷，它會吸引電子流，所以大量的電子流就從燈絲流到金屬板。變成陰極後的鉛板會排斥陰性電子流，少量的電子流就在電子管裏流動，如此敏感的電子管就會應對任何頻率的電流。

中國的經濟狀況[1]

弗蘭德瑞克 E・李

　　一九二一年六月四日出版的《滬江大學周刊》第十卷第二十七期頁九「校聞」，美政府特派駐華經濟委員會李博士（Frederick E. Lee）前曾來校演講一次。茲復應請到校演講我國現時之經濟詳情。聽講者大半係預入商科之學生。

　　本講演稿刊載於華東師範大學圖書館館藏一九二一年五月二十八日出版的英文版《滬江大學周刊》第十卷第二十六期，由滬江大學學生經達人（Tsai Shun Gi）[2]記錄。

　　（1921年）五月二十日，美國政府特派駐華經濟委員會經濟學家弗蘭德瑞克 E. 李博士，給一群對中國經濟問題很感興趣的學生們作了一場關於「中國經濟狀況」的演講。在演講之前，汪宗海（C. H. Westbrook）[3]博士介紹了李博士的一些情況。

　　一開始，李博士簡要分析了經濟學和其它社會科學之間的關係。他說，經濟學和社會學關係很密切。社會學是一切社會科學的基礎，其中就包括經濟學。經濟學和現實聯繫緊密，和獨立自給的個人、家

1　本文由上海理工大學研究生王琰、上海海洋大學教師杜義美翻譯。
2　查王立誠著《滬江大學簡史》附錄一，Tsai Shun Gi 應為滬江大學1921屆教育科畢業生經達人，當時在讀。經達人後曾任滬江大學附中校長。
3　Charles Hart Westbrook，即汪宗海。

庭以及關乎人們健康幸福的商品之間關係密切。經濟學也是關於商業的一門科學。

在中國，大部分商品都是手工製作的，只有百分之一・五的商品是機器製造的。農業仍採用原始的耕作方法，農具相當簡單，而且大部分是木製的。正因如此，中國的農業始終停滯不前。在美國，農業耕作是由機器而非人工來進行的。美國因此成了世界上農業最發達的國家之一。要想發展中國的農業，我們必須用現代的方法替代原始的農耕方法。

對外國人來說，熟悉中國貨幣是很困難的一件事情，因為各地區都使用各自不同的貨幣，一個地區的貨幣不能在另一地區通用。貨幣的錯綜複雜性成了中國工業發展的一大主要障礙。李博士一再強調了實行穩定貨幣的重要性，他說，要想發展中國的工業，就必須採用穩定的貨幣制。同時，銀行應嚴格控制鈔票的發行，這點也很重要。美國已經採取措施控制鈔票的發行。但中國現在還沒有實施相關的措施。

稅收本應該用於發展民生。但在中國，大部分從人民那裏徵收的稅收都被那些掌控稅收的人所榨取。幾年前，華南的土地稅收達二千五百萬美元，這些錢本來是準備用於中央政府的運行，但事實上，只有四百萬美元交給了中央政府，剩下的二千一百萬美元都被那些貪官污吏中飽私囊。

向製造大國前進[1]

約翰・Y・李

在滬江大學科學俱樂部的組織下，約翰・Y・李博士（Dr. John Y. Lee）於一九二一年一月十三日在滬江大學發表講演，觀眾如潮。原編者指出，李博士一個月前剛剛考察了歐美各國的頂尖製造企業。因此，他的講話前沿信息豐富，例證翔實，妙趣橫生。

原文刊載於華東師範大學圖書館館藏英文版《滬江大學周刊》第十卷第十四～十五合期，一九二一年一月二十九日出版。原題為〈Dr. John Y. Lee's Address〉，現題目為編者所加。原英文由 H. Y. Shen（滬江大學學生，真實姓名及專業不詳）記錄整理。

約翰・Y・李博士在演講的第一部分簡要介紹了他所參觀企業的工業現狀，值得一提的是，他還談到了中國企業所面臨的問題。他說，很多英美國家的工廠裏堆放著大量中國定購的成品或半成品。事實上，由於業務繁忙，有些企業往往在接到訂單兩年後，仍然不能交貨。出於這個原因，製造商不能為客戶提供確切的報價，客戶也無從得知應付貨款的確切金額。德國也處於相同的境遇，儘管製造商們竭盡全力確保和中國的貿易往來，但仍然無法提供確切報價。所以中國方面是在不知情的情況下採購，也就是說，處在不利位置。

1　本文由上海理工大學研究生王琰、上海海洋大學教師杜義美翻譯。

　　約翰‧Y‧李博士演講的第二部分內容，主要是關於如何讓中國成為製造大國，從而不再依賴外國的製造商。他說，瑞士從未生產過一噸煤或鐵，一切供給都靠進口，他們卻向全球市場提供了品質上乘的機械。中國資源豐富，既有原材料優勢又有人力資源，沒有理由不成為世界上最大的製造國之一。任何國家想要做到這點，關鍵在於人才，她必須擁有一支受過專業培訓，既懂基本原理又懂實際操作的人才隊伍。

　　約翰‧Y‧李博士指出，在歐洲戰爭[2]爆發前，美國曾大量使用德國製造商製造的商品。這些商品主要分為兩類：第一種是美國人懂得製造技術，但是無法降低製造成本，第二種是美國人根本就不懂得其製造技術，無法製造。可是，戰爭爆發之後，德國產品不能運往美國，美國只能通過某種方式自行製造。現在，美國已經擁有了一批技術人員，且大部分人都是教授級的，他們每個人都在專門研究某一特定對象，對其了解透徹，然後被召集到一起，研究成果整合後，再用於工廠實踐。他們只是熟悉其中的原理，而搞清基本原理後，實際操作就絕非難事了。如果中國從今天開始想發展製造業，首先需要的就是一批既懂基本原理又懂應用的技術人才。比如說，鋼材製造業就首當其衝。鋼材的種類多樣，普通工人根本不懂應該使用何種鋼材製造何種產品。所以，儘管我們可以開採煤礦，製造鋼材，卻仍然遇事束手無策。只有通過科學培訓，汲取豐富知識，才能培養出一批出類拔萃的人才，帶領工人們朝前發展。

　　觀眾對約翰‧Y‧李博士的演講報以熱烈掌聲。

2　此處應指第一次世界大戰。

學生篇

　　將滬江大學學生包括滬江大學附中學生的講演稿集中起來，單獨成篇，從體繫上看雖不太妥當，但編者以為這樣的編排，一方面出於對學術本身和對當時大學生們的思想、學術態度應有的尊重，讓讀者意識到滬江的講壇不僅屬於社會名流，也是屬於滬江大學學生的，儘管有些大學生的講演還略顯稚嫩；另一方面，正是因為大學生們的某些觀點或許存在的稚嫩，可以讓讀者更直觀地感受滬江大學的學術氛圍，可以讓今天的我們尤其是青年大學生們從中感受當年滬江大學學生們的思想和精神境界、治學態度，感受滬江講壇的熱鬧與繁華，本書也會因此顯得更為通俗，更有味道。

　　本篇還有一個特點，即這裏收錄的講演稿大部分都是大學生們在演說比賽中的文稿。這個現象說明了大學生們一方面不比那些社會名流或者老師們缺少機會發表講演的事實，另一方面也體現了辯論賽在滬江大學校園文化中的地位和影響力。

　　事實上，除了基督教青年會、感親會等宗教組織外，滬江大學內還有兩類學生團契：一類是聯絡鄉情和同學之誼的同鄉會和同學會，按學生各自的籍貫和所來自的學校組織；一類是學術和文體組織，如中英文演說會、翻譯社、社會學社、教育研究社、科學社、足球隊以及化裝演劇團等。這些組織遍佈教育、音樂、體育、演講、政治、經濟等領域，極大地豐富了學生的課餘生活，也活躍了學術空氣，加強了學校與社會各界的聯絡。而學術性團契所佔比重明顯較高，很多團契還辦有自己的刊物。現在我們能夠收集到的就有：《天籟》（包括《滬江大學周刊》和《滬江大學月刊》）、《滬潮》、《新商業》、《科學》、《化學》等等。這些刊物或預告，或扼要介紹，或全文刊載講演稿，讓我們從一個側面了解到了當年大學生們的精神境界和青春風采，

尤其是《天籟》。除演說會外，多數團契也都熱衷於組織演說活動。如，本校大學三四年級同學於最近組設「好學會」（Philomotheesian Club）研究時勢及種種社會問題，每周有討論會演講會一次[1]。滬江大學附屬中學也成立了英文演說會，分為辯論、演說和故事三類，每星期六晚間八時舉行[2]。感親會在總結工作時則談到：「本會會員多有志社會事業及通俗演講，然苦資料不多，本會代售中華衛生教育會小叢書，既可作本身之針砭，又可作演講之資料，誠一舉二得之舉也。」[3]化裝演講團則在五月九日這個中國損失山東權利之國恥紀念日，特排演愛國新劇「血」，以示不忘，並激發士氣[4]。此外，江蘇省教育會也舉辦有「演說競進會」。在這樣的大背景下，滬江大學的演說競賽十分火爆。抗戰時期，在重慶，為響應知識青年從軍運動起見，聯合法商工學院「特於一九三三年十一月十二日在校內大禮堂舉行知識青年從軍演說競賽，參加者甚為踴躍。滬江大學一九四九屆工商管理專業畢業生熊恂獲得第二名」[5]。劉湛恩在東吳大學求學期間曾獲得全校講演冠軍，對講演情有獨鍾。一九三〇年，劉湛恩在掌校期間，將早先的「學生課外作業績點制」修改後推行，其目的已不是限制而是鼓勵學生從事課外活動，包括參加演講會等活動。

1　華東師範大學圖書館館藏1923年5月25日出版的《滬江大學月刊》第20卷第5期，頁50。

2　華東師範大學圖書館館藏《滬江大學周刊》第10卷第4期，頁8。

3　華東師範大學圖書館館藏1921年6月11日出版的《滬江大學周刊》第10卷第28期，頁18。

4　榕（筆名），《記本校國恥日演劇》，《滬江大學周刊》第10卷第52期第5頁，華東師範大學圖書館館藏、1921年5月21日出版。1915年5月9日，袁世凱答應了日本的無理的「二十一條」要求，承認了日本享有原德國在山東的全部特權。後來5月9日被定為國恥日，稱「五九國恥」。

5　上海圖書館館藏1944年秋至1946年春《私立東吳大學滬江大學之江大學聯合法商工學院校刊》第9頁。熊恂其時為滬江大學在讀學生。

在這些社團中，最活躍的當數英文辯論會。在二十世紀上半葉的中國，註冊在美國、與美國教育體制掛鉤以及洋教授英語施教等因素，使教會大學成為中國青年學生留美的晉身之階，因而在中國青年學生中頗具號召力。滬江大學也標榜：「今美國各大學，凡由本校畢業者，都可直入大學院，本校程度，正與外國各大學相等，然則在本校肄業，正與留美無異，且非常省儉，每年不過三四百元。」[6]事實上，滬江大學畢業生中留美的也的確占相當高的比例。在這樣的背景下，同為教會學校，英語水準的高低成為衡量學校品質、影響學校社會地位的重要指標。

滬江大學英文演說會成立於一九一〇年。主要賽事有校內演說比賽、東方八大學英語辯論會、華東教會四大學英語辯論會等賽事。以比賽推進英語教學水準的提高，換言之，以第二課堂影響第一課堂，已經成為滬江大學師生提高英語水準的共識。「（1920年）十月三十日晚，大學英文演說會召開十週年紀念會，魏馥蘭校長、耆荷福先生[7]均蒞會演說，頗極一時之盛云。」[8]一校之長的親臨足可說明學校對英文講演的重視。《滬江大學月刊》第二十卷第一期（1922年11月25日出版）頁六十記載：群雄舌戰——本校於十月二十一日晚舉行參與東方八大學英文辯論會預賽會，賽者均為英語純熟，侃侃而談。結果：吳乃衍、張四維、潘恩霖三君當選為正辯員而吳憲章、阮維揚、馬安華三君[9]為助手云。不僅有主力隊員，還有替補隊員，說明了滬

6　鍾魯齋：《滬江大學1923年之回顧》，《滬江大學年刊》，1923年出版。

7　耆荷福（Ernest Kelhofer），美國西北大學文學學士、芝加哥大學碩士，曾任滬江大學英文系主任、會計兼事務主任。

8　華東師範大學圖書館館藏1920年11月13日出版的《滬江大學周刊》第10卷第1期，頁5。

9　吳憲章，滬江大學1924屆理科畢業生，專業不詳；阮維揚（1902-1989），浙江慈谿人，滬江大學1925屆商業管理專業畢業生，後在滬從事實業活動，曾擔任上海康元

江大學在辯論、講演方面的實力及學校的重視、大學生的參與程度。已收集到的相關資料表明，此三人是滬江大學辯論隊的核心，為滬江大學立下了汗馬功勞。

在各級各類賽事中，最為滬江大學看重的是由金陵、聖約翰、之江和滬江四所教會大學組織的「華東教會四大學英語辯論會」。這項賽事已經成為這些學校較量英語水準乃至辦學水準的重要平臺，相關報導頻頻見於《滬江大學周刊》或《月刊》。如，《滬江大學周刊》第十卷第九～十期（1921年1月1日出版）頁二十記載：滬江校聞：東方四大學英文辯論會本校辯論員本定二十七日往之江大學比賽。茲接該校來函，謂該校自願認負，無庸比賽，故未前往。一九二一年五月六日晚八時，本校英文辯論隊與南京金陵大學英文辯論隊在上海青年會辯論，其題目為「中國應採取省教育獨立制」，我方取反面，彼方取正面。雙方雄辯，竟使聽者難以評定孰優孰劣。辯論終結時，勝利竟為金陵奪得。評判員為特得爾女士、鄺富灼君[10]、李登輝[11]三人[12]。《滬江大學月刊》第十一卷第一期頁六十五也有相關記載：「辯論優勝」——十二月八日，東方四大學英文辯論，滬江與之江組在本校禮堂舉行，結果滬江方面全勝。

製灌廠經理。1930年移居香港，繼續從事機器製造業，曾任香港商會副會長；馬安華，滬江大學1923屆文學學士。

10 鄺富灼（1869-1931），字耀西，廣東新寧（今臺山市）人。1882年赴美國做鐵路工人。1889年進入龐蒙納學校就讀，1902年考入加利福尼亞大學，1905年獲學士學位，又入哥倫比亞大學，取得碩士學位。回國後歷任廣州方言學堂及兩廣高等學堂英文教師。1907年赴北京參加留學生考試，授進士。1908年4月，應張元濟之邀進上海商務印書館編輯所任英文部主任。

11 李登輝（1873-1947），字騰飛，福建同安人，1899年畢業於美國耶魯大學，1913-1916年任復旦公學校長，1917-1936年任私立復旦大學校長，1947年11月病逝於上海。

12 華東師範大學圖書館館藏1921年5月14日出版的《滬江大學周刊》第10卷第24期，頁8。

　　本篇收錄了吳乃衍、張四維、潘恩霖三人於一九二一年十二月、一九二二年四月、一九二二年十二月、一九二三年四月四次辯論稿，題目分別是：

　　〈中國應該採取內閣制而非總統制〉、〈改進家庭體制為新婚夫婦建立獨立家庭創造條件〉、〈西方工業主義的到來對中國利大於弊〉、〈一定條件下戰爭的合理性與必要性〉。尤其是在一九二三年，滬江大學再次闖入決賽，在題為〈一定條件下戰爭的合理性與必要性〉的辯論會中，最終戰勝之江大學，第一次奪得東方四大學英文辯論會冠軍，全校上下一片歡騰，宣稱「由此使人們認識到所謂『滬江的水準遠比不上聖約翰』之說的荒謬」。為這次奪標立下汗馬功勞的吳、張、潘三位辯手的講演稿自然被全文收錄進英文版《滬江大學月刊》，而中文版《滬江大學月刊》也給予了熱情洋溢的宣傳和廣告。這三人無疑也成了滬江大學的寵兒和驕傲。

　　本篇共收集了三十篇大學生的講演、辯論稿。從演說、辯論的內容可看出大學生們的愛國情感，對形勢、對社會的關心與了解程度，和走出象牙塔、投入社會的熱情與責任感。如劉良模所謂「現在的中國差不多要走上光明的路上去了，而帝國主義者還在那裏窮凶極惡的一步步地壓迫我們，在這種時候，我們有一部分學生也應該覺悟了」。熊鎮岐在題為〈到自強之路〉的講演中呼籲，「現在的國難是華北的國難，也是全國的國難，是政府的國難，也是民眾的國難，是一切弱者的國難，是一切被壓迫者的國難，是整個中華民族的國難。當前最需要的，乃是全國覺悟起來，共同努力。」另外，〈幹！〉、〈中國大學生的出路〉兩篇講演稿對今天困擾整個中國社會的大學生就業及創新創業問題，也具有十分重要的參考價值。尤其是董美麗在〈中國大學生的出路〉的結束語中大聲疾呼：「時代再不允許我們迷戀著安全的美夢，也不允許我們彷徨在十字的街頭，我們要用我們的血去

灌溉民族的鮮花,我們要用我們的手去打開民族的生路,我們要認清自己的使命,要認定出路的所在,要用自己的力量,去找出一條最光明最偉大的出路!」,讓我們看到了當年大學生高尚的愛國情懷、崇高的精神境界和優秀品質。

值得一提的是,本篇收錄了三篇劉良模在滬江大學附中期間的講演稿。作為講演高手,毫無疑義,劉良模在大學期間也應該有很多的講演機會。但經多方查找,編者只找到了劉良模在一九三一年榮獲「上海各大學學生東北問題演講競賽會」第二名的獎牌。該獎牌由劉良模嫡孫劉新提供,獎牌上赫然刻有張嶽軍(即張群,時任上海市市長)、孔祥熙(時任國民政府實業部長)和虞洽卿的大名,可見國民政府對此項賽事的重視。

喚醒中國魂

陸士寅

　　陸士寅，江蘇晏成中學（蘇州市第三中學前身）一九○九屆畢業生，滬江大學一九一四屆四名畢業生之一，後留學美國芝加哥大學。回國後曾任《華工周報》編輯、國立武漢大學教師、滬江大學附中主任、中國駐秘魯總領事等職。光華大學成立後，與朱經農、劉湛恩等任校務委員。一九二六年三月起，任中華職教社職業指導委員會委員。

　　本文摘自一九一四年四月出版的《天籟報》第二卷第卷號，記錄者不詳。

　　自由平等自主，乃美法革命之目的也。我國受其極大之影響，遂生非常之能力。至前清之末，方起種族革命，推到數千年陳陳相因之帝魔，掃除專制淫威，締造共和新國。當是時也，我國民以為可以享自由平等自主之幸福，從此日進歐美文化發達之樂境。故富者解囊輸捐，勇者效力戰場。熱血志士亦徒手奮呼，爭為先驅。上辭父母，下棄妻子，不惜絞腦汁濺頸血，犧牲性命，為國捐軀。如是慘劇，凡稍有血氣者，聞之莫不為之悒悒心悲，以望滌蕩壓制之積弊，造就共和之真相，而使中夏不致仍在睡夢中，依然不知不覺者也。顧今日之政府，只改其形式而不能改其精神。推其原窮其理，莫非政府社會家庭有絕大之缺點，有不盡之本分有以致之也。

　　（一）政府對於國民之本分。專制既為過去之政體。今中國已為共和，則政府對於國民之責任較專制之國不可以同日語。林肯曰：民國之政府，乃國民之政府。國民造之，亦為國民所設。無國，則民不能存。無民，則國不能成。國與民有極大之關係，且不可分者也。《書》曰：民惟邦本。本固邦寧。邦寧，則國家之幸福自然至矣。華盛頓當履大總統任時，曾宣言曰：本總統當盡心盡意盡力，擔負完全重任，組織政府，締造幸福。由此觀之，政府對於國民之本分豈不大哉？且宜下體民意，民之所好好之，民之所惡惡之，固也。然凶邪不拔，俊良不登。法律不遵，偏私不去。賞罰不公，功罪不定。凡此皆民國政府之失德也。顧乃反其道而行之，黜公論植私黨，破壞法律，屏棄道德，獨行獨斷，如醉如癡。嗚呼！不亦僇乎。答富德博士（Dr. L. B. Tefft）曰：民主政府乃在國民之手中，今日之總統即他日之公民。今日之公民，即將來之總統。公民與總統同一民也。可見總統對於國民，有極大之本分焉。

　　（二）國民對於政府之本分。國民託付於政府且受其保護，則國民自應繳納賦稅，接濟中央，服從法律。答君曰：服從法律，即個人之本分，如尊敬官長，驅逐姦邪，信從中央是也。華盛頓曰：國民所有之權力及應盡之本分，在於服從中央政府而已。其內亂也，良由一般國民不服從中央而生出。士商被害，婦女受辱，國家元氣因此不振，益以中外交涉或因購備器械，或因賠償損失，其浪擲金錢，豈忍言哉？今我為民國之國民，當各盡民國國民之本分，豈可逃此本分哉？答君又曰：人生於世，受三權下之管束，即父母之權、政府之權、上帝之權是也。今一輩少年熱血之徒，不願受法律之管束，每遇不如願之事，輒發忿恨剛銳之氣，以逞一時之雄，而喪前途福國利民之志，或起革命，或行暗殺，殘滅人道，此實禍國殃民之惡劇，豈能補助民國於萬一耶？

（三）國民對於社會之本分。集木而成林，齊民而成國。國無善良之民，焉有文明進化之國。故欲使國度漸入文明進化之境，必須從改良社會入手。夫社會者，國民團體之總名也。我國專制四千餘年，其劣風惡習沉浸於人之心腦者，已達極點。愚夫愚婦受累無窮，我少年諸君宜用雷霆萬鈞之力，整頓之改革之，而使我民國移風易俗，漸進於文明大同之盛治，足以媲美歐美諸文明國。則我國民共和之幸福庶幾普及矣。且也少年諸君當盡心盡意盡力提供公益之善舉，推廣教育之良法，使全國之民，無論為貧為富，俱有普通教育之智識，我民國方有鞏固之希望。人民既人人均霑教育，則國民道德程度必高，而國以大治。譬如房屋輪焉煥焉，須先樹堅固之基礎，方可無傾頹之尤。否則風雨一至，歎漂搖矣。人亦如是，觀希臘羅馬之亡，可以知之矣。若全國之民，皆有普通之教育、高尚之道德，何患社會之不進步，國家之不發達乎？

（四）國民對於家庭之本分。夫家庭者，社會之小團體，一國之積極基礎也。有善良之家庭，方成善良之社會。有善良之社會，方成文明之國家。欲強民國，必自改良家庭始。夫改良家庭必先注重家庭教育。父父子子、兄兄弟弟、夫夫婦婦，而家道正如是行之。家庭之教育可謂完美矣。雖然，家庭教育尤不可不以道德為師範。蓋道德為萬治之原倫理之要素也。總之，以上四端，苟能次第行之，足以振興我民國，並可使四千年東方之老大帝國不致仍在夢中而不警醒也。迨睡魔一旦警醒，雖民國之元氣已傷，可以漸次恢復，轉弱為強。我國民何患無共和幸福而登美法之大舞臺耶？然則，喚醒民國，招魂歸來，道德不可缺乏，彰彰明矣。《書》曰：德惟善政，政在養民。水火金木土穀惟修，正德利用厚生惟和。華盛頓曰：民主之國家，宗教與道德乃不可少者也。有志之士果欲興中國乎？非先培植國民之道德

不可。此乃我輩所希望者也，此乃我輩所當勉勵者也。東方明矣，曷弗顛倒衣裳乎？

今日學生的責任

嚴奇甫

嚴奇甫即嚴其富，一九一四年畢業於滬江大學，獲文學士學位，一九一四～一九一五年任滬江大學助教。本文摘自一九一四年四月出版的《天籟報》第二卷第三號，記錄者不詳。根據出版時間和講演內容判斷，嚴奇甫作此講演時尚在讀。

士生今日目擊時艱，輒有不能釋然之一事。斯何事乎？責任是也。顧亭林曰：天下興亡，匹夫有責。細繹此言，範圍雖廣，然知而負之者，其誰？負之不能而不忍放棄之者，又其誰？何者？蓋嘗默察世界之大勢何如，財政何如，軍政何如，工業何如，商業何如。各國之競爭，各國之發達，誠有令人望而生畏者。我非國民乎。我非民國乎？我非民國之國民乎？今日之學生非國民之大分子乎？以廣義言之，國家者非一人之國家，而人人之國家也。值此風雨漂搖之會，凡主持此國家，輔助此國家者，比諸艨艟巨艦蕩漾於怒濤駭浸之中，一有不慎，稍縱即逝。其險象為奚如，有識之君子早能言之矣。質而言之，將來民國之理財之治軍之惠工之通商，為列強之雄全視。我學生之能振作其精神與否，能擔當其艱難與否，然則居此一髮千鈞之際，吾輩可以須臾忽乎哉？夫人既各有其分，即各有其職，無其職而欲盡其分，是謂 僭越。有其職而不盡其分，是謂放棄。奇甫一學生耳，何敢妄論天下事。然而言之非艱，行之惟艱。今日僥倖畢業。謹將平

日所聞諸師友者，專就學生之責任一方面，略貢數語於諸大君子之前。要而言之，學生之責任，約可分為三種。

第一種，學生在校時對己應盡之責任。

（一）有立志之責。夫舟無柁則方向莫定。馬無轡則泛駕難羈。學生亦然，無定志則無所成，有定志乃有所成。語曰：用志不紛，乃凝於神志專一也。志能專一，舉凡害學魔障，皆足為我戰勝。否則見異思遷，胸無定識，卒不能成就一事。不寧惟是，學生者，孕國之文明，以先覺覺後覺也。國民多張口待哺於學生，而學生大都志不專一，所學者不能補助社會。彼為學生，立學無成，其國家多此等具名無實之學生，則國家前途無論矣。然則學生放其定志之責任，其影響直接於自己如彼，間接於國家關係更如此，立志顧可忽乎？

（二）有求實業之責。立志之要，上已言之矣。立志之進一步，求實業是也。我國地大物博，百業待治，如種植、如製造，肯讓他人之我先。貨棄於地，寶蘊於地，小則足以致凍餒，大則足以啟覬覦，所關殊非淺鮮。各界皆乏人才，故國家對於實業一方面，初未嘗加以研究，外人目之為東方老大病夫，猶非刻論。特恐不為病夫，將為餓夫也。苟人人因受外界之刺激，皆能振作其精神，或講求拓殖，或講求營造，使祖國實業界大有進步。子輿謂當務之為急，方不愧為學生界之一分子矣。

第二種，學生既畢業之後，應盡之責任。

（一）應盡教育之義務。野蠻之戰在刀兵，文明之戰在教育。教育普及，則國民思想自然發達。國民思想發達，則愛國熱情自然勃發。如此人人有愛國思想，何患中國之貧弱乎？不見夫日本島國乎？自明治即位後，教育大興，男女六歲不入學者，罪及父母。未幾而區區之國，一躍而入於萬國公法之列。故今日為學生者，希我國與列強並駕齊驅，先當盡普及教育之義務。尤當先提倡強迫教育而後可。西

儒有言曰：學問造人，人造國家。蘇格雷底曰：知識乃人之救主。以上二語，皆證明教育不惟於國家有密切之關係，於個人亦有莫大之關係在也。

（二）應盡振興實業之義務。美利基大實業家有言曰：二十世紀，乃實業競爭之時代。實業盛，國庫因之而不罄；實業衰，國庫因之而不實。我國地大物眾，礦產林業之富，冠於地球。惜乎吾人有天賦利源，而莫知開採。以至民間困乏若此，國家困乏若此。上下竭蹶，肯仰鼻息於列強。嗚呼！雖求借款，是猶飲鴆以止渴也。浸假研究出口之貨物，復抵制進口之貨物，奚不可者？當此危急存亡之秋，負責任者誰乎？非吾輩青年之學生哉？故吾人學成之後，即當習專門實業，使中國實業大有進步，方能卸此仔肩也。

第三種，學生既畢業之後，對於本國之責任。

（一）學生對於國家有研究法律之責任。法律知識在前清時代，似無關緊要。在民國時代，則凡為國民之一分子者，有不可不研究者在也。蓋民國時代，人人胥握參政之權。既握參政之權，而於國法茫然無知，是自屏棄其責任。美國大哲學家有言曰：政治為人而設，非人為政治而建。亞利四大德曰： 人類者，政治之動物也。細繹其說，凡為國民者，皆有參政之權。方今民國成立，學生為中國所希望之學子，又為將來立法司法行政之鉅子。故於法律一門，不可不絕端研究，而盡學生之天職也。

（二）學生對於本國有自治之責任。自治者，順國法而行，無負於國家之謂也。羅斯福有言曰：順法律而動者，謂之良民；逆法律而行者，謂之頑民。學生處於最高上之程度之資格，而未能實行自治，則中國之自治，固無可問矣。為學生者，其在家也，當有家庭之自治；其在社會也，則有朋友之自治；在城鄉也，則有城鄉之自治。無

論何處，學生之自治，不可須臾離也。故余曰：今日中國之自治，當由學生始。

要而言之，責任之在吾人者，不可更僕數。惟對己對物對本國三種，為學生界所最普通所最不能少者。質言之，將來民國之前途，與列強得有並駕齊驅之一日，惟視學生果能擔任此責任與否，惟視當負責任時，果能不負初心與否。

今日中國急宜提倡國家主義

鄧方珩

　　本文摘自一九一八年一月二十日出版的《天籟報》第四卷第八號，原稿署名「滬江　鄧方珩」，記錄者不詳。據此判斷，該演講係鄧方珩在滬江大學就讀期間所作。

　　今非二十世紀乎？今日世界大同主義之呼聲豈不甚高乎？然竊以為中國之情形，提倡國家主義為今日之急務，且微直中國也，即泰西各國去大同時期尚遠。況欲以之律中國哉。今略述五大原因於下。

（一）外交之失策

　　吾國於前清康乾極盛之時，版圖之廣遠勝前代。道咸以後國勢頓滅，外侮內訌接踵而至，緬甸割於英，越南入於法，三韓琉球臺灣並於日，暹羅自主，吾國外藩割讓殆盡。他如鴉片之役，五口通商，拳匪之禍，賠款四百五十兆兩。其它割讓租借賠款乞和，更非可以枚舉。五月九日之國恥[1]，言之實為痛心。以二十四條無理條款，要脅吾國，制我死命。近且騷擾山東，設立民政署，明目張膽，肆行無忌，愛國男兒，熱血義士，對此情形有不痛心者乎？欲雪此恥，非發展國民之愛國心不可，此我提倡國家主義之第一原因也。

1　北洋政府迫於日本武力威脅，於1915年5月9日答允了「二十一條」。

（二）政黨之爭

中國之情形急矣，而一般政客猶爭權攘利，負氣不肯稍下。同一北洋系也，而有直隸安徽之分。同一國民係也，而有穩健急應之別。督軍與中央不睦者有之，師長與督軍反抗者有之。《書》曰：紂有臣億萬，惟億萬心。吾謂今日中國有四萬萬之同胞，惟四萬萬心，可勝歎哉！昔三韓之亡也，亡於東學黨爭耳[2]？殷鑒不遠，可為寒心。日俄之戰，日人爭死力於對馬邑岐者，何也？日人知國家為重，生命為輕，故寧以數千人之赤血頭顱，換區區之二島。自後歐人側目，咸駭日人之義勇，卒成今日亞東之強國。美人於一千七百五十四年時，法人侵之。美政治家福蘭格林（Franklin）者頒行一種報章，上繪蛇一，下寫聯絡或死 Join or Die，意謂美十三省聯而拒法，則存，不然必亡。今日我中國不但十八省不能聯絡，即一省之中，尚離齬不寧，安能求其聯而拒外乎？此提倡國家主義之第二原因也。

（三）商不銷售國貨工不利用國產

提倡國貨！提倡國貨！吾耳熟矣。然而用國貨幾人哉？大衣也，洋裝也，國貨乎？非國貨乎？日貨固宜拒，而西洋貨豈宜歡迎者乎？而吾中國人欲廉值者，購日貨；欲時裝者，請西洋貨。而對於國貨，不謂其價值昂貴，即厭其質料不佳。故雖提倡國貨之聲甚高，而國貨之不振也如故。商人以漁利為先，應時是務，誰願銷售國貨哉？夫吾非責著大衣、服西裝之不宜，不過望制大衣西裝者利用國貨而已。中

---

2 朝鮮半島古代的「三韓」：馬韓、辰韓和弁韓。1894年朝鮮爆發東學黨起義，朝鮮朝廷無力鎮壓，於是要求中國軍隊入境鎮壓。6月6日中國軍隊在牙山登陸，日本軍隊也以此為藉口趁機於7月6日在仁川登陸，佔領漢陽，並且組織親日派政府鎮壓了農民起義。1894年日本軍隊襲擊駐朝鮮的中國軍隊，挑起了中日甲午戰爭。中國戰敗以後，朝鮮停止與中國的宗藩關係。

國土地之膏腴，物產之豐富，為他國所垂涎。而吾國工界諸君，不知利用，貨棄於地，坐而患貧，可勝太息。以出口之羊毛類論之，以一千九百十六年之調查，知出口之駱駝毛為二萬五千零十一擔，山羊毛九千七百八十七擔，綿羊毛三十萬零一千三百五十八擔。若工界人能利用此種原料品，則挽回中國利權外溢之害，豈淺鮮哉？提倡國家主義，以警醒工商同胞，利用國產，銷售國貨，吾尤望愛國諸君子之購用國貨也。

（四）學生不愛國粹

今日中國之存立，豈不賴今日之學生界乎？然而今日之學生，率多偏重西文，不愛國粹。其號為用功之學生，則知有西文而已，對於中文先生之教授，則未嘗注意也。至於途次相遇，非曰密司脫某某，即曰 Good morning 或 Good afternoon 等等。滿口英文，不啻一講英文語之中國人。而又有一般學生，遊學歐西，不考察泰西各國工業之所以興，學校之所以盛，社會之改良，政治之整頓，而偏研究歐西文學。文學豈能救中國哉？昔者，亞歷山大欲以希臘語言文字強波斯人，外人何嘗強我胡服胡語？而吾國人反甘心捨國粹而不學，豈不重可歎息者耶？不知吾人之研究西文，欲得歐西之科學政治文化而已，非謂盡捨國粹而為西語也。提倡國家主義，所以挽救此種惡習俗也。

（五）中國人不信任中國人

一商業之創辦也，一公司之設立也，非西人合股，則難以集款。其能完全華商合辦者，實不多見。而一般富家，均以其銀錢存諸外國銀行，使中國之銀錢，操縱於外人之手。嗚呼！以中國人銀錢為外人所利用，而猶自以為得計，其尚有人心耶？苟中國富人，能將銀錢存諸中國銀行，則中國銀行之資本充，紙幣無跌價之虞，豈不公私俱足哉？有此五大原因，故敢大聲絕呼曰：提倡國家主義！提倡國家主義！

論職業教育之重要

朱博泉

　　朱博泉（1898-2001），原籍貴州貴築，一九一九年畢業於滬江大學，同年赴美攻讀銀行學及工商管理學，後在紐約花旗銀行總行實習。一九二一年回國，在浙江實業銀行、華俄道勝銀行、中央銀行等處任職。「一二八」事變後，任上海銀行業同業公會聯合準備委員會經理。後發起成立中國工業銀行，任常務董事兼總經理。一九四三年六月任中央儲備銀行參事，一九四三年八月又任上海特別市諮詢委員及中國實業銀行董事長和交通銀行董事。一九四三年十月任中央儲蓄會監理。一九四五年七月任銀行同業公會理事長。曾任滬江大學商學院院長、滬江書院院長。解放後，朱博泉先生曾任上海市工商聯高級顧問、滬大同學會會長及顧問等職。

　　本文摘自一九一八年一月二十日出版的《天籟報》第四卷第八號，原稿署名「滬江　朱博泉」，記錄者不詳。據此判斷，該演講係朱博泉在滬江大學就讀期間所作。

　　國家之元素為人民，而人民之所以維持國家者，在能為國家生利，則職業教育尚已。今試觀乎歐美列強，而見其郊野無遊民，國內無曠土，無論男女老幼，莫不有一定之職業。凡年在二十以上者，生計皆足以自立，而不仰給於他人。是以民生寬裕，國財豐富，用能執世界之牛耳。反觀中國，物產非不富也，民庶非不眾也，而曠土遊民

比比皆是。夫同是圓顱方趾，同是天賦知能，何以若者強，若者弱，若者富，若者貧？曰：在乎職業教育之普及與否而已。

夫人群日用之所需，必有所自出之處。職業教育者，所以應乎人民生活之需要也，今日吸受職業知識，為將來謀立身之預備者也。吾中國近年以來自命為才俊者，均趨於革命之執政界一途，大有人滿之患。而於職業之事，轉淡漠置之。夫重士而輕農工商，貴勞心而賤勞力，乃吾國社會久成最劣之舊習慣也。是故人民生產之能力，未有絲毫之增加，而消費之要求乃倍蓰於從前。不耕而食，不織而衣者，幾居百之六七十。然而不耕不織，胡取乎食，胡取乎衣？不工不商，何以為器？何以為用？西哲曰：人為生產者，同時又為消費者。有消費而不能生產，則為社會之蠹。誠哉是言！吾國志士，何以異是？今者，分利者眾，生利者寡，中國安得而不貧耶？然則救貧之方法，其政策維何？曰提倡職業教育。是職業教育之流行於泰西文明諸邦有年矣，而以德美最為發達。普通學童之及十六齡者，即可以離校而入工商界以謀生活。蓋彼國內之公私立職業學校以千數計，而分科至三百餘種。男子則土木金工也，普通商業也。女子則縫紉烹飪與夫家事也，皆不離乎為謀衣食之用，以免凍餒之憂。此德美國家經濟之日臻富庶而優於他國者，豈有他道哉？

凡為人者皆當求自立，有技能有職業，則可以自立矣。苟不受教育不就業，恃其先人遺產以為衣食有賴。不幸家道中落，借貸無門，欲受教育而不及，欲就業而不能，其將何所恃乎？不見夫京津之水災乎？有人焉，學問空疏，不求自立，惟仰給於遺蔭，倚賴於他人。今則失所依據，迫於飢寒，不顧廉恥，轉為遊惰或為賊盜而失其國民之資格矣。雖蒙滬上慈善會之救濟，亦可暫而不可久者也。是故中國每值災歉則加以無數之貧民或盜賊以致地方擾亂民生顛沛。向使人人有技能有職業，即可以免凍餒之患，而立於不敗之地。故技能為自立之

根本，職業為自立之基礎。根本立基礎固雖孤立無倚不足患也。然則職業教育誠為今日中國救貧之對症良藥也。孔子曰：己欲立，而立人。未有不能自謀其生，而可與謀國家生存者也。

國魂何在

張舍我

　　張舍我，一八九六年生，又名建中，上海川沙人，知名海派小說作家。家貧，受教於耶穌教會學校。十五歲時應聘報社訪問，當過小學教員，商務印書館校對員，後入滬江大學預科，因學費無出處便翻閱中西文雜誌，譯述名家小說，藉資補助。畢業後先後任職英美煙草公司和金星保險公司。暇時好弄翰墨，作短篇小說，富於理想，不落常套。精外文，譯稿甚多。著有短篇小說近百篇，刊佈於《半月》及《快活》雜誌者居多，更有《小說做法》行世，為其經驗之談。

　　本文摘自一九一八年一月二十日出版的《天籟報》第四卷第八號，原稿署名「滬江　張舍我」，記錄者不詳。據此判斷，該演講係張舍我在滬江大學就讀期間所作。

　　十九世紀政治學大家伯倫知理（Bluntchli）之論國家曰：「十八世紀以來之學者，以國民為社會，以國家為積人而成。如集阿屯以成物質似矣，而未得其真也。夫徒抹五彩不得謂之圖畫，徒堆瓦石不得謂之宮室，徒集脈絡與血輪不得謂之人類。惟國亦然。國也者，非徒聚人民之謂也，非徒有府庫制度之謂也，亦有其意志焉，亦有其行動焉。蓋有機體也。」是說也，不特伯倫知理持之，近世社會學大家如

瓦特（Ward）、臺雷（Dealey）[1]等皆宗之以立說。是故，國家者非龐然一死物也，乃有意志之靈魂，如人類然。人之生也，以其有靈魂也。國家之生也，亦以其有靈魂也。夫人無靈則死，國家而無靈，安得而生存哉？或曰：國家靈魂之說，既聞命矣，顧何者謂之國魂乎？應之曰：國魂之為物也，視之無形，聽之無聲，由國民之自覺心與國民之自奮心，犧牲一身以為國家。此之謂國魂。歐美各國之強，非徒強於海陸軍工商教育也，強於其國魂耳！吾中國之土地不為不大也，人民不為不眾也，物產財源不為不富也。地居溫帶，占亞洲之形勝，宜其雄飛一世，富強震環球矣！何以海通以來，外交著著失敗，東亞病夫，貽笑歐美，微弱不振，日憂瓜分。滿清之時，鴉片之役，中法之役，中日之役，賠款若干，割地幾何，安南朝鮮，香港臺灣，已隸他人之版圖，膠州旅順大連灣等亦久非我有。至於民國，有日本二十四條之要求，鄭家屯老西開之交涉[2]，滿洲名為我有，實權久歸日本，三閩為其勢力範圍，魯齊且設民政之署，蒙古外叛，西藏不屬，言之痛心，述之不忍，嗚呼！中國何以致是耶？中國之失敗，其由於靈魂之消滅乎？中國之土地人民物產，中國之四肢五官百骸也，中國人民之自奮自覺與犧牲心，中國之國魂也。中國之國民，既不能有自覺自奮之毅力，又不能具犧牲為國之決心，則中國之國魂已消滅也。中國已死也，雖有四肢百官，亦奚以為哉？此中國之所以任人宰割，刀俎而猶夷然不覺，未知痛楚也。五月九日，鄭家屯老西開之恥，全國騷然，若有禦外之決心，不五分鐘而已淡然若忘。人謂之五分鐘之

1 　即布朗大學派至滬江大學的社會學系主任詹姆士・奎勒・格雷（J. Q. Dealey），又譯狄雷、格雷。

2 　鄭家屯事件是指1916年8月13日，日本人由於一件小事而帶兵殺入奉軍28師28團團部，從而造成中日軍隊間衝突和人員傷亡的事件。經過中日雙方長時間的交涉，事件最後以中方接受日方的條件而結束。老西開事件指1916年10月發生在天津，由於天津法租界試圖進一步擴張引起天津市民抗議的事件。

熱心。吾謂中國之國魂，受猛刺而醒，不五分而復酣睡若死也。吾親愛之國人聽之，國人如能坐視神州陸沉，而甘為他人奴也，吾亦無言。苟其不欲披髮左衽而保全黃帝後裔之莊嚴也，其速自奮自覺犧牲一身以為爾國，則中國其庶有豸也，不然，吾其步紅黑人種之後乎？嗚呼！吾親愛之國魂兮歸來。

畢業後前途之預計

沈荔薌

　　沈荔薌（1900-1989），浙江奉化人，滬江大學一九二六屆教育科畢業生。幼名遺香，後改名「貽薌」，意在「革掉胭脂氣」，「貽芳馨於人間」。在滬江大學讀書期間又改名「荔薌」。畢業後進入中國第一所女子學校「私立甬江女子中學」任教，後成為該校第一任華人校長，任職長達二十多年。一九三五年夏，沈荔薌赴賓西法尼亞州立大學留學，兩年後獲碩士學位，成為寧波第一位女碩士。一九三七年，抗日戰爭爆發，沈荔薌放棄繼續攻讀博士學位機會，提前回國，繼任甬江女中校長。解放後，曾任奉化縣第一屆政協委員、民革奉化縣委員會委員。一九八三年，寧波市成立「甬港聯誼會」，沈荔薌擔任該會副會長。

　　本文摘自一九一八年十二月出版的《天籟》第七卷第六號，記錄者不詳。文中注明，該講演當時榮獲了江蘇省教育會演說競進會高等組第一名。

　　主席、評判員、在座諸君：

　　人，動物也。獸，亦動物也。人胡乎智而獸胡乎愚？人胡乎有進化有文明而獸胡乎無？豈人獸有元來之差別乎？抑人自人而獸終獸乎？太初之時，人獸同群，蒙蒙昧昧，與世浮沉。既無所謂進化，復無所謂文明。厥後人類繁殖，人智漸增。由游牧社會、漁獵社會、農

工社會,遞入於國家社會。而今日社會之文明之進化,殊非原人時代所夢想矣!何哉?蓋人類富於未來觀念而知所以預計,禽獸則無之。即如飛鳥之營巢備寒,昆蟲之儲食禦冬,似稍進矣。惟其範圍淺狹,較諸人類相差殊遠。故人之所以智愚,可以未來觀念之有無判之。吾儕,學生也,莫不以將來之主人翁自期,其責任之重大誰堪倫比?故其未來觀念尤其重要。鄙人不敏,謹將我畢業後之預計,為諸君告焉。

雖然,人之預計豈易言哉!首則人之志願不同也。有欲為造世之政治家,有欲為尚武之軍事家,有欲為高雅之哲學家,有欲為慈善之宗教家,或欲操濟人技術之醫學家。事業之種類繁不勝舉,而吾人之志向亦美難兼收。復次,則人之境遇各異也。或富比陶朱,或貧無立錐,有志在士而卒為商者,有志在商而卒為工者,皆境遇為之也。昔莎士比亞未盜鹿之前,彼固不以劇家自期也,而醫學家之何美,哲學家之康德,晚年成名於儒林,殫心於文學,皆非宿計也。雖然,人之志願雖不同,人之境遇雖各異,而人之主義則不可不一。所謂一定之主義者,即我預計之先決問題也。

先決問題之至要者,即是否為建設的犧牲。今日之青年,莫不以救國愛國相標榜。夫救國愛國隻字面耳,吾人非欲知救國愛國之字面,蓋欲知救國愛國之結果耳。欲結果,必須先付以代價。此固經濟學之公例也。今吾人欲得救國愛國之結果,必須先付救國愛國之代價。所謂救國愛國之代價云何?即犧牲是也。雖然犧牲云者,固國人習聞之辭也,今日之民國之共和悉由昔日之犧牲之代價,是則犧牲主義在吾國已甚流行矣。然而民國建設七年於今,雖掛共和之名而鮮共和之實。興學已數十年矣,而國內之學問依然仰人鼻息,不能獨當一方。變法已數十年矣,而國內實業之不振、道德之墮落如故。一言蔽之,國人病於破壞之犧牲而忽與事業之建設犧牲是也。

夫建設的犧牲者,即以積極之手段,以精神或力量而使事業入於

系統的或秩序的進步也。而破壞犧牲者，即以消極之手段，以激烈或感情而使事業失其系統或秩序之謂也。要之，破壞犧牲僅足代表不得已之手段，固政治學之所許也，惟建設犧牲乃進步國家之先導、發達社會之利器也。故吾請從事於建設之犧牲焉。

復次，是為利他觀念。夫十八世紀末葉至十九世紀，社會盛倡自利主義，資本主之壓制勞動家，即如亞丹斯密司氏諸子，亦以開明的自利主義發為學說。此其見諸經濟界者。而流風所趨，即國際間亦莫不競尚詐術以自利主義為其政治之中心力。畢士麥至告國人，為祖國故而寧捨自己之名譽。此次之大歐戰實為各國競尚自利主義之結果。此其見諸政治界者。雖然，為救今日計，非實行利他觀念不可。利他觀念者，以人為本位而不以己為本位。如僅知我之利而不顧人之利者，皆絕斷對之。夫使人而無利他觀念，則非第救弱恤貧將無人任焉，世界之平和亦永無希望。故我以利他觀念為我先決問題之第二目標也。

復次，是為社會之需要。夫生產之原則，需要與供給須常調劑，而不失其權衡。需要多而供給少，則生產不敷。市價為之攪亂，商場為之不振。如需要少而供給多，則生產過剩，亦非社會之福。雖然，此不獨應用於經濟界，社會亦然。社會之形勢時變，有需要於甲國者，而獨不需要乙國，如紐約因地價之昂，高樓巨廈直聳雲表。然在中國，則不需，因中國之地價低下也。有需要於甲時而獨不需要於乙時，如破削渣雜在昔日固視同廢物也，而在今日，則知所利用成為社會之需要矣。故既建設犧牲矣，利他觀念矣，如不適乎今日社會之需要，仍無益也。

予今請總束上述，即第一為是否建設的犧牲？第二為是否利他觀念？而第三則是否應今日社會之需要。本此三意，更請具體的討論我畢業後前途之預計焉。

吾之預計為醫學，因醫學能合上列之三大前提也。

（一）醫學者，建設的犧牲也不為良相，當為良醫。良相者，因其能建設的犧牲也。良相救國，良醫濟人，故良醫亦建設的犧牲也。國之強盛繫乎國民之健全，而國民之健全則緣乎醫學智識之發達。蓋醫學者，人未病，則授之以避病之術；人既病，則施之以除病之方。有建設之意味無破壞之現象也。以我之腦力，以我之精神，而謀醫學之發達之進步，間接以助長國家之興盛，豈非建設的犧牲乎？

（二）醫學者利他觀念也人有苦痛而我百計為之解除，人有不適而我盡力為之救治。利他觀念者，謀利他人之利之謂也。世界事業中，利他觀念最富強者，是為醫學。因醫學之發達與否，全視其利他觀念之強否而定。使醫學而無利他觀念，則醫學失其研究矣。今有人焉，折其肢而難於行動，惟醫學能使之霍然如初，則彼人之受利於醫學者，豈非緣於醫學有利他之觀念乎？

（三）醫學者，今日社會之需要也吾人一觀今日社會死亡率之眾多，則可知醫學之不發達。醫者之缺少，其一因也。夫中國之醫學，非不善也。中國之醫生，非不眾也。然因其尚未適用科學之改良，故未能合乎社會之需要。且國人對於衛生利益尚未十分明瞭，疾病之種類獨多，每年人口因此而死亡者不計其數。而醫生之供給特少，故社會之需要殊亟也。（下述沈君之具體的進行方針從略）

今試執途人而問之曰：爾知中國之危急乎？爾知吾輩皆有救國之責任乎？除至愚者外，無不知之。然試續問之曰：爾既知國之危、國之當救，則爾何不救焉？則曰：吾既無權勢，又無財力，吾一人何益也？夫醫，雖小道，似無補於國家。然使為醫者知其責任，而竭力謀改良，則國民之體格日就健全，而國家之強盛即隨之矣。此蓋實際之救國。固無需如吾國人所謂非權勢與財力不足以言救國也。是故，上所云者為我畢業後前途之預計，亦我畢業後所以報國也。譾陋之處，祈諸君子有以匡正之。幸甚！幸甚！

拒毒是全體人民的責任

劉良模

本文摘自上海理工大學檔案館館藏民國十七年（即1928年）滬江大學附屬中學級刊《滬江壬申級刊》「論述」欄目。根據該級刊的介紹，劉良模在滬江大學附中讀書期間比較活躍，曾任「各級代表大會文牘、中學歌詠團書記、滬大浸會莊同學會會長」等職。一九二八年，劉良模先是獲得全校拒毒演講第一名，後獲得全滬各中學拒毒演講第二名。

拒毒是全體人民的責任！鴉片和麻醉藥的害在我們中國已經蔓延到幾乎不可收拾了，再下去，滅種亡國，對於全體國民，都有深切的關係，所以，拒毒是全體人民的責任。

中國人民雖多，強健的很少，土地雖廣，出產也不多，所以我們全體人民應該急起直追，懸崖勒馬，擔負起每一個人應負的責任，去做成功這一個全民眾的拒毒運動。

物理學家說：「一塊很厚的鐵，上面擺了一根很細的線，這一塊鐵多少也要彎一點。」所以我們中國要是有一個人不拒毒，這就是我們國家少一份的希望。

現在我先要略略地說到鴉片對於我們全體人民的害處：

第一，鴉片摧殘我們的人民。一個國家，最重要的元素就是人民。但是鴉片能使一個個的人民變成病夫，使他們變成對於國家、對

於社會、對於自己的家庭一點沒有用的病夫，甚至於使他們死亡。

第二，鴉片分離我們的家庭。抽鴉片的人，抽上了癮之後，就到了一種飯可以不吃，而鴉片卻不可以不抽的地步。他們一有了錢，就去買菸。他們的菸越抽得厲害，他們的癮越大，他們的癮越大，他們的錢也就用得越多。直等到抽得一個錢都沒有的時候，那麼他們就是賣田、賣地、賣房子、賣子女、賣妻子，這種種的事情都做得出來，以致很好的一個家庭，就妻離子散，家破人亡！

第三，鴉片能使社會不安寧。抽菸的人，抽到沒有錢的時候，他們就只好跑上那一條做強盜、做賊、做綁票的路上去，弄得士、農、工、商，人人都在恐怖中過日子。最明顯的一個例子就是上海。我們知道上海是菸土的大本營，所以，上海的社會也就格外的黑暗，格外的不安寧。

第四，鴉片使中國貧窮。諸位，我們中國是怎麼大的一個國家？我們的人口是怎麼多？可是在我們中國可以說沒有一個地方是沒有鴉片的，沒有一個地方是沒有抽鴉片的人的。諸位，你們想，我們中國每一天要花在這小小的菸斗裏面去的錢要多少？據伍連德博士[1]調查下來，全國合計鴉片的消耗大概每天要十幾萬塊錢，那麼一年就要幾千萬塊錢了。這樣下去，中國難道會不窮嗎？

1　伍連德（1879-1960），中國醫學家、檢疫與防疫事業的先驅，20世紀初為中國的現代醫學建設與醫學教育、公共衛生和傳染病學做出了開創性的貢獻。祖籍廣東，生於馬來西亞檳榔嶼，字星聯。1899年，赴英國學醫，1903年，獲劍橋大學醫學博士學位並回馬來西亞。後又陸續獲得上海聖約翰大學、香港大學和日本東京醫科大學的榮譽博士學位。1907年，清政府聘請他為北洋陸軍醫學堂副監督。1910年到哈爾濱對抗鼠疫，在三個月內控制住了病情。1912年，受中華民國聘請為大總統侍從醫官。1913年和1919年他又兩次在東北抵抗鼠疫和霍亂的爆發。1926年起，任濱江醫學專科學校校長。「九一八」事變後，他辭職赴北京任全國海港檢疫總監。1937年赴香港，1946年回到馬來西亞創辦了吉隆玻醫學研究中心。1960年1月逝世於馬來西亞。

第五，鴉片是帝國主義的先鋒。它幫著帝國主義來侵略我們中國。我們知道中國第一次外交的失敗，就是前清道光年間的鴉片戰爭。從這一次以後，帝國主義侵略我們中國便一天一天地厲害起來，帝國主義一半用欺騙的手段，一半用武力把鴉片運到我們中國來，來實行他們的滅種政策，使我們的同胞貧窮、軟弱、死亡，使我們的家庭分散，使我們的社會不安寧，使我們的國家貧窮、衰弱。照這樣看起來，鴉片是不可以不剷除的。

但是其餘的麻醉藥，好像嗎啡呀、海洛因呀，和其它種種的毒物，他們的害也和鴉片差不多，所以也應該同鴉片一同打倒。

諸位！哪一個人不愛他的國家！哪一個人不愛他的家庭！哪一個人不愛他的弟兄姊妹！我們要把我們的國家、我們的家庭、我們的弟兄姊妹從水深火熱當中救出來，要達到這一個目的，必定先要剷除毒物。但是這麻醉藥的害是遍及全國的，所以必須全體國民人人把這個拒毒的責任放在身上，毫不畏縮地向前做去。麻醉藥的毒一日未淨，就是我們全體國民的大責任一日未了。全體國民中要是有一個人不加入這拒毒的工作，這一個人就是放棄了他做國民應盡的天職。

當今的學生與學生運動

劉良模

劉良模在這次講演前稱,「這一篇便是敝人在今年五四演講的稿紙」。根據出版時間,顯然,該講演的時間是在一九二八年五月四日,其內容更是和「五四」運動有關。此時劉良模是滬江大學附中的學生。

本文摘自上海理工大學檔案館館藏、滬江大學附中學生會出版部一九二八年六月出版的《滬潮》第一卷第三號。

到現在這時候,我們不能不承認日本是一個強國了。日本之所以強,是因為他們的維新。而他們的維新,卻一大半靠著有很好的學生運動,他們的學生有為國求學的運動,有把自己研究所得貢獻給國家的運動,有知識階級同民眾攜手的運動。

再看我們中國。中華民國之所以到現在國勢還是這樣不振,可以說一大半是因為學者對於自己的祖國太少貢獻的緣故。這一件事情只要看歷年來的中國留學生能夠真真做點事出來的人數,就可以知道了。

從前中國的學生,是素來只曉得讀他們的四書五經,別的事情是一概不管的。到了光緒的時候,才有幾個特出的人才出來,像康有為、梁啟超這一輩人,想把陳舊的滿清政府革新。但是因為大多數的

學者還是在那裏做他們陞官發財的夢，所以他們到底沒有成功[1]。後來孫中山先生努力於革命。成功以後，學生才好像大夢初醒。到了民國八年「五四」運動的時候，那麼學生便好像從床上跳起來一樣。自己覺得自己本身的重要，也覺得自己使命的重大，而人家也慢慢地注重學生了。

在「五四」運動之後，學生就可以分為兩種。一種學生是好像水瓶塞子一開之後裡面的水便都噴出來，濺得滿地，而人喝到的卻很少，這一種就是太過分的學生。他們一天到晚就為了學生運動而奔走忙碌。今天打倒誰，明天擁護誰，把書本子丟在旁邊，看也不去看他，他們的結果，便是白費了許多寶貴的光陰，又受人家的利用，並且對於人民，對於社會，對於國家一點兒也沒有什麼益處。

又有一種不太熱心的學生。這種學生又可分為兩派，一派可以說是城市化的學生。他們把學校當作旅館的。書是奉旨不念的。他們只曉得修飾自己，把自己打扮得很好看，穿得很漂亮。這種學生在現在上海大大小小的跳舞場裏面可以看到幾個。學生是中國未來的主人翁。要是個個都像他們一樣，那麼中國還有什麼希望呢？還有一派可以說是書蟲化的學生。他們一天到晚，只曉得念書，而什麼社會、國家、世界的問題是一點都不管的。書讀好之後，就算畢業，一張文憑拿到了手，卻只會念書，事情是一點不會做的。這種學生，對於國家，也沒有什麼用。

現在的中國差不多要走上光明的路上去了，而帝國主義者還在那裏窮凶極惡地一步步地壓迫我們。在這種時候，我們有一部分學生也

1　指戊戌變法。1898年（農曆戊戌年）以康有為、梁啟超為首的改良主義者通過光緒皇帝所進行的資產階級政治改革。新政從1898年6月11日光緒皇帝頒佈「明定國是」詔書宣佈變法開始到9月21日慈禧太后發動「戊戌政變」為止，歷時103天，所以又稱「百日維新」。

應該覺悟了。所以，我們以後的學生不應該太城市化，太書蟲化，而應該儉樸，多與民眾接觸，應該抱了「知行合一」的主義去誠誠懇懇地求我們的學，以致將來我們能夠個個都成為中華民國有用的人才。今後的學生運動不應該太過分，妨害功課，也不應該太理想，應該注重實際的一面，對於人民、國家的確有一點用處。

末了，我們在無論做什麼事情的時候，我們終不要忘記我們是學生，更不要忘記我們是中國的學生。

打倒冷笑

劉良模

　　本文摘自上海理工大學檔案館館藏、滬江大學附中學生會出版部一九二八年六月出版的《滬潮》第一卷第三號。講演時間為一九二八年五月八日，在「當今的學生與學生運動」講演之後。劉良模作「當今的學生與學生運動」講演時（1928年5月4日），「濟南慘案」（1928年5月3日）剛剛發生，但是他並不知曉，所以還說「現在的中國差不多要走上光明的路上去了」，對中國的前途充滿了信心。現在他已經知道了（1928年）五月三日在濟南究竟發生了些什麼，所以，語氣和內容為之一變，並號召說：「同學們，做事的機會來了！」

　　此時劉良模是滬江大學附中的學生。

　　人生有什麼意義？無非是要認真地做些事情出來，那才叫不負我們這一生。否則，**糊糊塗塗地過了一生**，那麼這人生真是沒有意義極了。

　　同學們，做事的機會來了！並且刻不容緩地要我們去做！日本帝國主義者在我們山東濟南地方窮凶極惡地，毫無理由地，不顧人道地壓迫我們，侮辱我們。我們的熱血從心腔衝出來，我們對我們的民眾大聲疾呼：「日本在濟南壓迫我們，我們應該同他們經濟絕交，我們馬上要武裝起來！」可是可怕的冷笑聲便也跟著出來了。他們冷笑著，好像他自己或別人說：「看啊！那輩學生又在那裏胡鬧。我看他

們一定不會好結果的。」他們這樣冷笑著我們，他們這樣冷笑著真理。啊！可恨！可恨！

但是他們為什麼要冷笑我們呢？據我的意思有三個原因：

（一）從過去的陳跡中，有表示我們是無用的，是有始無終的，所以他們便看不起我們而冷笑我們。

（二）他們從前或許是個熱心做事的人，而經過一次失敗之後便灰心了，因他們自己的失敗，便料到我們做的事一定也要失敗，所以便冷笑我們。

（三）他們是抱安樂主義的，所以看見我們大聲疾呼地叫著，奔東奔西地跑著，便冷笑我們不會享福。

我們知道冷笑的厲害。它能把一件熱烈的事弄得冰消瓦解。且看以前我們的「五四」、「五九」[1]、「五卅」和種種熱烈的運動，都不久被冷笑消滅了。難道我們這一次的運動還要被它打消嗎？難道我們這一次的運動要被人家罵五分鐘熱度嗎？同學們！如果我們這次再像以前那樣的五分鐘熱度，那麼中國也弄不好了。如果我們不喜歡再被人家笑罵的，那麼應該放些精神出來，努力於現在的工作，並拼命地去抵抗這殘酷的冷笑。

冷笑的原因我們已經知道了，如果我們要打到冷笑，一定要把這幾個根本的原因推翻。

（一）如果我們的血是熱的，我們的志是堅的，我們的精神是蓬勃的，我們已經有一個決心要雪去以前被人罵五分鐘熱度的奇辱的，那我們便可以打倒第一種冷笑。

（二）對於第二種的態度我認為是不對的。天下的事絕不會一舉

1　1915年5月9日，袁世凱承認日本提出的「二十一」條，激起全國人民的反日運動。以後人們把5月9日定為國恥紀念日。另有以日本提出的最後通牒日期5月7日為國恥紀念日。

即成，終有失敗的。但是失敗是成功的基礎，所以失敗之後，仍舊應該繼續努力，我們總理[2]之所以成功，便全因為他有這種百折不撓的精神，我們都應該效法的。

（三）這第三種的態度是最可惡的，我們非把他根本打倒不可。這種抱安樂主義者大概是懶人，和家裏有幾個臭錢的人。這種人目前是安樂了，但是他們的安樂能否永久保持下去，這倒是一個問題。現在中國正在危急存亡之秋，如果日本人侵犯到他們的範圍裏去，試問他們還能安樂嗎？他們還能安樂嗎！到現在的時候還在那裏袖手旁觀，恥笑人家，這種人才是天生亡國奴的胚子。對於這種人我們應該對他們說：「人類一定要團結才能生存，那是自然的道理，何況天有不測風雲，你們縱然擁有幾千萬的家產，或是有錢有勢的父親，一旦國家亡了，你們能如此安樂嗎？你應該覺悟了！」如果他們真的不覺悟，那我們不能當他們是我們的同胞了。他們不是中國人了。

人家的冷笑是可怕的，但是自己肚子裏的冷笑更可怕。我們大家憑良心講，有沒有自己冷笑過自己，很痛心地講，我們是做過的。心和行為不一致，無怪以前的運動要失敗。但是現在是什麼時候，我們還可以蹈以前的覆轍嗎？我們還可以自己冷笑自己嗎？我們絕不能再做了。我們這次的運動一定要成功，那我們一定要從根本把自己肚子裏的冷笑先打消，我們千萬不可再心灰意懶了。須知天下的事情，要是決心去幹，那絕不會不成功的。

2　指孫中山。

新市政計劃

鄭鶴

鄭鶴（Djeng Haoh），江蘇南京人，滬江大學社會係學生，一九二四年畢業。在校期間，鄭鶴參與了白克令（H.S.Bucklin）教授指導的《沈家行實況》一書的前期調研與編輯工作。原編者指出，此篇是鄭鶴在本屆江蘇演說競進會中演講之大意，頗蒙聽者謬賞，因思新市政在現今中國之重要，特將演辭約略記出之，冀盡一分鼓吹之責，並望學識之高於鶴者，細細加以指正為感。

本文摘自華東師範大學圖書館館藏、一九二二年一月二十日出版的《滬江大學月刊》第十一卷第二期。該期頁五十八「滬江春秋」還有這樣的記載——「侃侃而談」：本校於十二月十日晚舉行參與江蘇演說競進會預賽會，題為「新市政之計劃」。結果大學部以鄭鶴君當選，中學部以梁照權君當選。後聞鄭君於月之十八在揚州大舞臺決賽時，「侃侃而談，旁若無人」，竟奪得二等獎黃色旗一面而歸。

根據上述記載，鄭鶴作此講演的時間應為一九二一年十二月十日晚。

一　為什麼要有新市政

中國人的舊思想上有兩種缺點。一就是明明知道人大概是愛本鄉的，所謂是「桑梓情深」而偏要「楚材晉用」，弄得人地不宜。二就

是喜責備在上的，所以中國弄到這般糟，總說是中央政府的腐敗，而不曉得自己從小事上，從本位上，去著手改良。這新市政就是要我們本地人，在本地，從小事上和本位上去著手改良的起點。因為照「因地制宜」四個字講起來，當然外來的官不及本地舉出來的來得「切己」，來得「熟悉地方情形」。所以，我說我們不要有好政則已，要，則必須從這地方自治的新市政入手。

二　新市政該從什麼辦起（這就是我的計劃）

新市政，照廣東現在的辦法，是分為財政、行政、代議三機關。對於這三機關，各人有各人的意見。（一）有的說「須從財政上辦起」。有了好的財政機關，就可以有錢，有了錢什麼事都可以成功。不看廣東之所以烈烈轟轟辦出這般新市政來，無非因為南方政府還有幾個錢。南通之所以被稱為模範縣，亦無非為張氏[1]個人有幾個錢。所以只要有了錢，萬事都可能的。所謂的「金錢萬能」這些話，我不能不說他有三分對。（二）然而還有許多人說「新市政當從行政上辦起」。有了好的行政機關（如廣東的市政委員會），那麼對於消極方面的，如盜賊、賭博、喝酒、吸鴉片，種種不道德的事，都可以禁絕。對於積極方面的，如教育、衛生、交通、公安各方面種種的建設和改造，都可以實行。我們之所以要有新市政，豈不是都為了這些呢？這

1　張謇（1853-1926），中國近代著名的實業家、教育家，字季直，號嗇庵，江蘇海門人。1869年考中秀才，1885年考中舉人，1894年考中狀元，授翰林院修撰。1904年，清政府授予他三品官銜。1911年任中央教育會長、江蘇議會臨時議會長、江蘇兩淮鹽總理。1912年任南京政府實業總長、北洋政府農商總長兼全國水利總長。後因目睹列強入侵，棄官走上實業教育救國之路。他一生創辦了20多個企業，370多所學校，為我國近代民族工業的興起、教育事業的發展作出了貢獻，被稱為「狀元實業家」。毛澤東在談到中國民族工業時曾說「輕工業不能忘記張謇」。

話我也不能說它是錯的。（三）但是我們都知道，人如果單有了四肢八體，沒有頭腦發出思想來，是不行的，政治也是如此。因為政是政，機關是機關。單有了好的機關，而沒有好的政產生出來給他們去行，也是不行的。所以，國有國會，省有省議會，替我們產生出政來，做我們的代議機關。市哪裏可以不先有市議會來做我們市民的代議機關、一市的政治主腦呢？所以我的市政計劃，是要從市議會辦起。

三　市議會議員當怎樣產出，庶幾可以免了「舞私作弊」四字？

　　假使市議會的議員也同省議會的議員那般舞私作弊起來怎辦？依我所知，英國有兩種極妙辦法。（一）市議會議員，是由各區（以人口之多寡定區域之大小）初選了又復選出來的（最好初選舉三人然後再於復選舉時舉一人）。小小一區的地方，人口既不多，耳目又清爽，當然不能舞出什麼弊來。（二）市議會議員雖每星期須常聚會，討論地方事宜，然而大概是沒薪俸的，屬於既任勞任怨，又沒有薪俸的事。那些惟利是圖的民賊，自然不去幹那運動的勾當了。既不能舞弊，又無可貪利，這樣一來，被選的當然都是正人君子了。（三）或者怕沒人來就這任勞任怨，無權無利的事，我們不妨採取德國的辦法。德國對於被選而不就職的人，是要重罰的，要罰就不怕他不來。其實市民公舉他，是市民的美意。做議員是極光榮，很有名譽的事。既被選了，當然沒有不願意就的。舉出來的，既真都是有道德，有才幹，肯服務，肯犧牲的人。這樣的人做我們的真正民意代表，說我們要說的話，做我們要做的事，小小一市還怕辦不好嗎？我的話說到此地，我知道一定有人起了一種疑問，以為所謂市議會，是和廣東的參

事會[2]一樣的,而廣東的參事會,照黃任之[3]先生十一月二十四日在省教育會演講的記錄云,不過是個代表市民,輔助市政的代議機關而已。僅僅一輔助市政的代議機關,決不能替我們造什麼福的。但是我們也須明白,廣東的市政正在試辦,當然有不能不變通辦法和不完全的地方。而我們的計劃,可不得不從最完善處著想。

四　市議會應有什麼權力

法國的市政是集權於中央政府的。美國的市政是集權於市長一人的。我以為這兩種制度,既適應「推給在上的」的缺點,又不脫專制的氣味,都不足法。欲求一重民意,講地方自治,適合於今日中國者,莫若英國的制度。英國市政制度是:(一)市議會有選舉市長之權;(二)市議會有調換行政委員之權;(三)市議會有指導行政委員之權。從這三條看來,市議會簡直在左右行政機關和監督行政委員的權柄,我所以說市議會實在是市民的民意總機關,也是新市政計劃的中心點。只要有了市議會,有了選舉得法的市議會,有了權力的市議會,就是有了市民的民意機關、市政的政治主腦,其餘一切詳細辦法,如物質上的造屋築路,開溝通河等等建設,精神方面的道德、教育、衛生、社交種種改造,都可以不用我們現在憑空費心,自有市議會因時因地或因人制宜地替我們去謀劃。講到這裏,不由我不想起我

2　民國初期,廣州市出現了歷史上第一個代議機關——廣州市參事會,主要職權有:議決權,即決定權;審查權,即監督權。但市參事會沒有議決人事任免之權,對事的審查權其效力也就減弱了一大半,實際上也就虛有其名,沒有起到什麼作用。到了1924年,活動基本停頓。1925年,廣州市市政委員會成立,市參事會從此「事沉影寂」。

3　即黃炎培,字任之。

們歷史上的一件故事。韓信[4]雖然善於將兵，終究失敗，高祖[5]善於將將，到底成功，所以我敢說，我們不要這講地方自治、重共和民主的新市政成功則已，要則非用我這「將將」的計劃不行。

4　韓信（約前228年～前196年），江蘇淮陰人，漢朝楚王。中國歷史上偉大軍事家、戰略家。他熟諳兵法，為後世留下了大量的軍事典故。作為西漢開國名將，在楚漢戰爭中，韓信發揮了卓越的軍事才能，為西漢的建立立下了汗馬功勞，卻也因此引起劉邦的猜忌，勢力被一再削弱，最後被控謀反處死。

5　指漢高祖劉邦（公元前256～前195年）。公元前202年，劉邦在山東定陶舉行登極大典稱帝，定國號為漢，定都洛陽，後遷都長安。同年5月，劉邦在洛陽開慶功宴，宴席上，他總結了自己取勝的原因：「論運籌帷幄之中，決勝於千里之外，我不如張良；論撫慰百姓供應糧草，我又不如蕭何；論領兵百萬，決戰沙場，百戰百勝，我不如韓信。可是，我能做到知人善用，發揮他們的才幹，這才是我們取勝的真正原因。至於項羽，他只有范增一個人可用，但又對他猜疑，這是他最後失敗的原因。」

活性炭之理論及其實際

馬端履

馬端履，滬江大學化學系學生，一九三七年畢業。

此文為馬端履演說競賽中的講演稿，摘自上海理工大學檔案館館藏《天籟》第二十四卷第一號[1]。

諸位評判員先生，諸位同事：

今天晚上，我要講的題目就是〈活性炭之理論及其實際〉。我們大家都知道，近代戰爭的走勢，差不多是完全立體化了。那就是說因為科學的昌明，於是空軍在戰爭上是非常重要的。所謂空軍，不僅指飛機而言，此外還有所謂毒氣的戰爭。這種毒氣的戰爭，實際上要比飛機更要厲害。同時，正因科學上有了這樣驚人的進步，關於毒氣的襲擊，自有防毒的設備，所以也沒有什麼可怕的！活性炭的發現也正適應這時代的需要，它本身雖是一個很微小的黑色炭粒，但是它在軍事上的地位，也許可以和飛機重炮並駕齊驅。活性炭既然是如此的重要，我以為我們大家對於活性炭究竟是怎麼一回事，實在有認識的必要，我現在要講的就是關於活性炭的理論以及製造情形。

---

1 講演時間為1935年秋，這時的《天籟》為季刊，由滬江大學出版委員會印行。後面的講演稿〈幹！〉、〈到自強之路〉、〈民族生存的條件〉、〈從自然選擇到文化的選擇〉都出自此刊。

　　活性炭自從發現到現在，也不過將近廿年的歷史。但是在這廿年很短的時間裏面，經過歐美各國許多科學家的研究和努力，學說是非常之多，並且各派的學說也很不相同。可是，雖然在這眾說紛紜中，我以為有兩種碳性活化理論是值得我們注意的。

　　（一）在一九一九年的時候，美國有一位科學家，名叫錢耐[2]，他研究這問題很早，他認為碳可以分為兩種：一種是活性炭（active carbon），一種是非活性炭（inactive carbon）。活性炭的性質很不穩定，所以能吸收多量的氣體。非活性炭的性質很安定，所以不能吸收氣體。同時他假說凡碳素本質經過碳化（carbonization）而變成基本炭，這基本炭的外層便產生了一種碳素接觸面的毛細孔，以及無定形基本碳素（amorphous base carbons）。但是，因為這外層還含有碳氫化合物（bydrocarbon），阻礙碳素吸收氣體的力量，所以活化（activation）就是要除去這種碳氫化合物，而同時增加碳素接觸面的毛細孔，如此可以使碳素的吸力增強。

　　（二）一九三〇年，也是一位美國科學家，名叫貝克（Bcaker），據他研究的結果，他的理論，我可以歸納起來，分成三點來說：

　　1　凡碳素物質經過密錮蒸餾，便生成了一種基本炭，密度一·四五。

　　2　這生成的基本炭再經過活化作用，產生一種類似石墨一類的碳素，密度二·一五。

　　3　因為碳素密度的增加，遂使炭粒內部慢慢緊縮起來，這種現象的結果：炭粒間產生無數的空隙（space）。同時也生成了一種結晶狀的活潑面的能力（surface energy），這活潑面的能力就是碳素吸收毒氣的原故。

2　此處應指美國加州大學伯克利分校古生物系主任錢耐（Ralph Works Chaney, 1890-1971）。1948年，錢耐曾專程來華實地考察水杉。

　　綜觀以上兩位科學家的論調，對活性炭所以能吸收毒氣的原因，我們已經有了相當的明瞭。至於活性炭為什麼有這樣大的功效？在這裏，我也許有再加以解釋的必要。我以為有五點最重要：

　　（一）吸力快。在戰爭的時候，每一個軍人戴上一副防毒面罩，因為呼吸頻仍，遂使毒氣與吸毒劑接觸的時間很短促，通常大約是十分之一秒，所以在這種情形下，防毒劑要吸收迅速，才可免除毒氣的侵入。活性炭就是有這樣的優點，因為它能在一百分之三秒內，把散佈空氣中的一千分之七的氯化苦劑（chloropicrin）減少到二百萬分之一。我們看到這種數目，也就可以想像到活性炭吸收力的偉大！

　　（二）吸量大。活性炭本身的吸收力當然是很大，但是它的容納量很小。假使用一種鹼化劑來輔助，活性炭的吸力和容納量便愈見增加。普通鹼化劑大約用蘇打石灰（sodalime），因為蘇打石灰的主要功用，就像是一個很大的倉庫，能夠儲存各種容易揮發的毒氣。

　　（三）用途廣。我們大家都知道，毒氣的種類很多，假使因物而防，每一種毒氣要用一種防毒的方法，那實在太麻煩了，並且事實上是不可能的。可是活性炭能吸收各種不同的毒氣，所以它在防毒軍備上的地位頗為重要！

　　（四）硬度。炭粒的硬度很重要，因為在裝置、運輸以及戰爭時應用，當然免不掉起伏震動。假使炭粒容易破碎，這影響就很大了：一方面可以使呼吸不暢，戰士失去活潑靈敏的動作；另一方面，碳素吸收毒氣的力量因而減少。但是活性炭的硬度很強，所以沒有以上的缺陷。

　　（五）密度。炭粒的大小，通常在814mesh之間。碳素的密度高，吸收力當然很好。但是，因為密度的增加，重量也就增加，這影響到摘戴防毒面具頗為不便。活性炭的密度雖不算高但是吸收毒氣的力量很大，所以它的重量也不是十分笨重。

關於活性炭，製造原料很多。據一般科學家研究的結果，凡堅硬的植物，如硬果殼、松柏、紅杉等都可以製造。不過由椰子（coconut）的殼製成最好。製造方法大約有三：

（一）空氣法。所謂空氣法就是把燒成的植物碳置於蒸餾器中，再通入空氣，徐徐加熱到350-400℃的時候，因為氧化作用，碳裏雜質遂完全除盡。此法最易處理，但結果碳的效力不好。

（二）蒸氣法。將植物碳置於碳化缸中，加熱到800-1000℃之間，同時，再將熱蒸汽流通入。碳裏之碳氫化合物遂由不易揮發的高分子價，變到容易揮發的低分子價，被水蒸氣驅出。此法設備方面較複雜，可是結果碳的效力甚佳。

（三）化學法。將活性炭的原料浸入硫酸、氯化鋅或硫酸鋅內，待五六日後，取出置於一鐵鍋內，進行碳化。碳化後，用鹽酸除盡炭裏雜質，最後更用清水將鹽酸洗掉，烘乾即成活性炭，效力甚佳。

我以上所講的就是關於活性炭的理論和製造情形。我們不能僅是徒託空言、紙上談兵，我們更要注重實際。我們看近日華北形勢的險惡，我們的國家和民族真是已經到了危亡的時期[3]！諸位！在這樣國難的當頭，在座諸君試想一想，我們現在唯一的出路是什麼？消極嗎？屈服嗎？抱著不聞不問的態度？

不！絕不！諸位！我們現在唯一的任務就是埋頭苦幹，做點實際的工作。尤其是我們學科學的同學們，對於防毒設備和毒氣軍備，幼稚的中國應當從現在起，急速研究，待一旦戰事爆發，幫助我們的政府做轟轟烈烈的民族奮鬥的工作，使我們的國家永久生存，我們的民族永久光榮。

3　1935年，駐華日軍為了進一步侵略中國，策動了一系列華北各省脫離南京中央政府、實行「自治」的事件，通稱「華北事變」，遭到了中國人民的堅決反對。華北事變後，民族矛盾上升為主要矛盾。

幹！

顧存吉

顧存吉，滬江大學商學系學生，一九三六年畢業。其畢業論文為《滿洲金融概況》，現藏於吉林省圖書館。

本文曾獲華東各大學國語演說競賽第一名。據西安交通大學檔案網站（http://202.117.16.53/archives/News/Show.asp?id＝1689）《南洋公學—交通大學年譜》一九三五年（民國24年）：一九三五年十二月二十一日，華東各大學演辯會國語演說比賽在本校文治堂舉行，本校一無所獲，光華大學獲團體錦標。滬江大學熊鎮岐的「到自強之路」獲得第三名。和顧存吉並列第一名的還有光華大學的譚惟翰，他的講演題目是「兒童年談兒童」。

本文摘自上海理工大學檔案館館藏《天籟》第二十四卷第一號。

主席，諸位評判先生，諸位同學，本席今天所要講的題目，只有一個字，就是「幹」！什麼叫做幹？為什麼要幹？怎樣去幹？提起了幹字，就聯想到這三個問題，我們要徹底地幹，就得先把這三個問題解答一下。

第一個問題，什麼叫做幹？幹就是勞動，就是工作，不論是勞體力，或是勞腦力，只要努力地去工作，就叫做幹！所以我們這裏所討論的幹，不是才幹的幹，亦不是能幹的幹。因為有才幹而不去幹，等於沒有才幹一樣，如果能幹而不肯幹，倒不如不能幹而肯幹的好。所

以，我們所注重的幹，是動的，是有生氣的，是有力量的，而我們所
主張的幹，是要改革，要奮鬥，我們要有干的精神，幹的目標，不唱
高調，不談理論，以身作則地切實地去幹！

第二個問題，為什麼要幹？簡單地說一句，一切的事情，不做不
會成功，一切的問題，不幹不會解決。為了維持我們的生存，我們自
然要去幹；為了改進我們的文化，我們應當去幹；為了復興我們的民
族我們更應該幹。

第一，先講為了維持生存而幹。誰都知道天然淘汰的定理，惟有
適應環境的才能夠生存，要生存就要競爭，要競爭就得努力地去幹！
試問現在社會中能允許有幾多寄生蟲？能有幾多人能飽食終日而無所
事事的？在現在的時代，我們相信，決不允許再有不勞而獲的現象，
那麼為了解決我們的衣食問題，我們不幹行嗎？

第二，為了改進文化而幹。試問我們只圖溫飽，就算了嗎？我們
能夠衣食溫飽了，就不再要幹了嗎？絕不，為了改進我們的文化，我
們還應常幹。試翻開人類的歷史看一看，原始野蠻民族時候的生活，
和現在科學昌明時代的生活，比較起來，當然是天壤之別。可是我們
要知道，我們現在所以有這樣的文化，是積數千年幹的成績，決不是
偶然的。文化不進則退，要改進我們的文化，就非幹不可！歐美各國
因為富有干的精神，他們大家都肯努力地去研究，所以他們的文化，
他們的科學，一天一天地進步。而我們中國呢？還是墨守成規，成為
時代的落伍者，這種現象非常危險。所以我們現在應當發揚我國固有
的文化，追隨歐美先進的科學，那麼，我們不幹行嗎？

第三，為了復興民族而幹。我們都知道中國處的是次殖民地的地
位，而現在的國難又是這般的嚴重，隨時都有亡國的危險，在這種時
期，我們當然應當要臥薪嚐膽，埋頭苦幹！德意志因為有這種精神，
肯努力地幹，所以歐戰後二十年來，又可以在歐洲雄視闊步；日本因

為有這種肯幹的精神，所以維新了五十年[1]，就成為世界上一等的強國。我們現在一方面要抵禦外侮，一方面要建設中國，在這個千鈞一髮之際，要挽救危亡，復興民族，我們還能夠醉生夢死而不努力的去幹嗎？

第三個問題，怎樣去幹？幹的方式當然很多，我們現在姑且提出三點來討論：

第一點，幹，要從大處著眼，從小處著手。我們青年往往好高騖遠，對於小事，不很注意，大學生一出校門，就想做大事業，就大官職，小事都不願意去幹。試看現在一般失業大學生，他們並不是絕對的沒有事幹，而是小事他們不願意去幹；並不是他們不能幹，實在是他們不肯幹。他們的眼光也許很遠大，可是他們不肯從小處著手，因此就不幹，不幹，如何能完成遠大的目的？要知道，「行遠必自邇，登高必自卑」。要完成偉大的事業，就得從小處做起。從前日本帝國大學，有一位學生，他畢業是第一名，校長介紹他到一個工廠裏去做事，問他要什麼職位，他說他願意做一個小工，可是兩年之後，他就做了那個廠的廠長，因為廠裏的一切工作，沒有第二人比他知道得更詳細，因為他肯從小處著手，所以得到他最後的成功。

第二點，幹要有百折不撓的精神。「有志者事竟成」這句話，誰都承認是對的，可是做事遇到了打擊而能夠繼續奮鬥的，卻是很少很少。我們學生，在學生時代，往往下了很大的決心，抱了很大的理想，預備到社會上去，這樣改革，那樣整頓，如何奮鬥；可是一進了社會之門，為了種種的黑幕，層層的摩擦，把他們的銳氣一天一天地

1　指明治維新。因這一事件發生在明治天皇年間，故名。明治維新從1868年宣佈改元明治開始，但一般都把1867年大政奉還、王政復古等許多政治變動包含在內。明治維新是19世紀末，日本所進行的由上而下、具有資本主義性質的全面西化與現代化改革運動，是日本歷史上的一次政治革命。日本從此走上富國強兵的資本主義道路。

挫折，把他們的意志一天一天地消沉，結果亦不免戴上了假面具，一樣的同流合污腐化起來。這種不徹底的幹，是幹的一大仇敵。我們要幹，就要有堅強的意志，奮鬥的精神！孫總理雖然經過幾次的失敗，可是他始終繼續努力，到底達到了革命的目的；甘地雖然經過了幾次的絕食，可是始終不屈服，到底完成了印度的自治，要有這種幹的精神，才可以有干的成功！

第三點，幹，要有說做就做的毅力。說而不做，當然不能算是幹，說做而不就做，亦不能算有干的精神。現在一般人大都犯了一個得過且過的毛病，有事不肯就做，見義不肯勇為，知過不肯就改，抱了一種任其自然的態度，以至於弄得現在的社會現象是光怪陸離，人民的生活是凌亂混雜，根本的原因就是萎靡不振而沒有說做就做的精神。新生活運動[2]所提倡的整齊清潔簡單樸素並非難事，到現在已經一年多，而實際能辦到的有幾個地方？完全能遵守的，又有多少人？恐怕是極少數吧？現在我們要改革這種現象，就得要有說做就做的毅力，要做就從現在做起！要做就從自身做起！

總而言之，幹的意義是勞動，是工作，不是理論。幹的價值是維持生存，改進文化，復興民族。幹的方式是從大處著眼，小處著手，是要有百折不撓的精神，是要有說做就做的毅力。惟有幹才可以得到我們的出路！惟有幹才可以建設我們的中國！中國缺乏的是幹的精神，我們就應當拿出精神來去幹！中國需要的是幹的力量，我們就應當盡我們的力量去幹！

2　是指1934年，國民黨在南昌發起所謂重整道德、改變社會風氣的運動。因其從改造國民的日常生活入手，所以命名為「新生活運動」，蔣介石親任新生活運動促進會會長，目的在於用封建的倫理綱常來控制人民的思想和言論行動，用生活細節的要求來轉移人民對政治、社會問題的不滿，以抵制共產主義思想的影響，維護國民黨的統治。這一運動未得到廣大人民群眾的支持，收效甚微，抗日戰爭爆發後逐漸停止，成效不大。

到自強之路

熊鎮岐

熊鎮岐（Hsiung Chin Chi），滬江大學化學專業學生，一九三六年畢業。本講演在一九三五年十二月二十一日華東各大學演辯會國語演說比賽中獲得第三名。本文摘自上海理工大學檔案館館藏《天籟》第二十四卷第一號。

自鴉片戰爭以來，中國就在亡國的恐怖當中，而且國難是一天比一天嚴重，時代不允許我們再存僥倖的心理了。可是我們以前認錯了自救的出路，以為國際間的公理、國際間的同情和國際間的均勢可以做我們的保障。然而，歷史告訴我們，現在世界上並沒有真正的公理。所謂的公理，只是強者分贓的護符，而不是弱者求生存的福音，靠得住的唯有自己。諸位可曾記得，咸豐十年的《北京條約》[1]，俄國因為調停了英法兩國入京的事件，於是就要求烏蘇里江以東九十萬三千方里的地方以作報酬。還有遼東半島的事件，德法俄三國因為干涉了日本獨佔遼東半島，所以以後也有種種的要求，結果是中國不但白白的多送了三千萬兩給日本以作歸還遼東半島的代價，而遼東半島的本身也成了報恩的禮物，租借給了俄國。同時德法兩國全都沒有忘記這次干涉，廣州灣的租借，膠州灣的租借也都無非是這次干涉的報

---

1 咸豐十年即1860年。《北京條約》則是1860年英法聯軍攻進北京後，英、法、俄強迫清政府分別簽訂的結束第二次鴉片戰爭的不平等條約。

償。諸位，像這樣前門出虎，後門進狼的情形，十足證明了國際間沒有可以信賴的餘地。「九一八」的炮聲一響，我們就呼求正義，然而國際聯盟給了我們什麼？《九國公約》[2]又給了我們什麼？在這樣失望的時候，我相信大家都明瞭唯有自強才是中國真正的出路。所以我們要到自強的路上去！

在自強的路上，我想有幾點不能不加以注意，這幾點便是到自強之路的先決條件：第一要有透徹的覺悟，第二要有堅強的毅力，第三要有高尚的氣節，第四要有勞苦的工作，第五要有精誠的團結。

第一，要有透徹的覺悟。

中國的國難延長了幾十年了，在這幾十年中我們不知道受到了多少次的侵略，在每次受到侵略的時候，大家都似乎有一種救國的覺悟。然而，事過境遷，平凡的生活又讓我們變得麻木了。像這樣表面上的覺悟，實際上卻不透徹，因為大家只暫時認識了危機的恐怖，而未認識自救的辦法。所謂自救的辦法，乃是要有拼死的決心和自強的精神。國難不是一天兩天的國難，在國家未復興以前永遠是國難，所以我們要有一種永久的覺悟。

除了這種覺悟以外，我們還應當有普遍的覺悟。中國現在的問題並不是局部的創傷，乃是全身的腐爛；現在的國難是華北的國難，也是全國的國難，是政府的國難，也是民眾的國難，是一切弱者的國難，是一切被壓迫者的國難，是整個中華民族的國難。當前最需要的，乃是全國覺悟起來，共同努力。有了這種覺悟和永久的覺悟，我們才配談得到自強。

---

2 1922年2月6日，美、英、法、日、意、比、荷、葡等戰勝國為重新瓜分遠東和太平洋地區的殖民地和勢力範圍，和中國北洋政府在華盛頓會議（又稱太平洋會議）上簽訂《九國關於中國事件適用各原則及政策之條約》，通稱《九國公約》。實質上是要脅中國政府執行「門戶開放」、「機會均等」原則。

　　第二，我們要有堅強的毅力。曾子[3]說：「士不可不弘毅。」為什麼要弘毅呢？因為任重而道遠。中國現在是處於一種極端貧乏而亟待改進的時期當中，是要從十八世紀生產落後的社會，進化到近代物質文明的國家，是要從散漫而無合作精神的組織，進化到嚴明而力量的政府，是要從百孔千瘡的現局，達到風平浪靜的前途。這種事業是如何的偉大。要負起這種責任，完成這種使命沒有堅強的毅力可以成功嗎？我們前面的困難重重，但是我們不能屈服，不能妥協，我們要訓練自己，使自己有富貴不能淫，貧賤不能移，威武不能屈的精神。有了這種精神，我們才有自強的希望。

　　第三，我們要有高尚的氣節。中國現在的危機，並不是敵人飛機大炮的威嚇，最可怕的就是國內一班喪心病狂的漢奸，他們背賣祖國，以大好的山河為魚肉，以無數的同胞當犧牲，唯有這班人才是中國最大的仇人。宋朝有個張弘範[4]，宋朝的天下就亡了；明朝有個吳三桂，明朝的領土也就沒有保全。諸位！現在中國的漢奸遍地，這是中國最大的危機，所以我們要努力提倡氣節來挽救危亡。現在讓我們問問自己，是否自私的思想勝過了國家的感情。如果我們的心也搖動了起來，那麼想起了文天祥的正義，岳飛的孤忠，蘇武的苦節[5]，我

3　曾子（公元前505～公元前435），姓曾，名參，字子輿，春秋末年魯國南武城（今山東省平邑縣）人。出身沒落貴族家庭，後從師孔子，勤奮好學，頗得孔子真傳。他積極推行儒家主張，傳播儒家思想，並在修身和躬行孝道上頗有建樹，是孔子學說的主要繼承人和傳播者之一，在儒家文化中居有承上啟下的重要地位。

4　南宋滅亡後，民間有一個傳說，說是宋朝降將張弘範（1238-1280）統帥元軍在崖山擊潰南宋艦隊，逼得南宋丞相陸秀夫抱著宋少帝跳海自沉，南宋政權就此徹底滅亡。百姓多以為，張弘範本是大宋的一員戰將，投了元，又來打自己主子；滅了宋，還磨崖鑄字，多有鄙薄。也有史家認為，張弘範祖籍河北易州，本是元朝人，是元軍中的漢人將領。講演者顯然是持前一觀點。

5　蘇武（公元前140～公元前60），字子卿，陝西杜陵（今西安附近）人。公元前100年，蘇武率隊出使匈奴。就在準備回國時，匈奴上層發生內亂，蘇武一行被扣留，

們應當痛悔。

第四，我們要有勞苦的工作。中國在這樣淒風苦雨的時候，國家是這樣的貧乏，生產是這樣落後，民智是這樣的閉塞，我們不能夠再偷懶了。而且生命的意義並不是懶惰的享受，乃是要前進的創造，唯有在工作中，在創造中才可以使生命豐滿。諸位，我們要學螞蟻一樣的殷勤，我們要學駱駝一樣的勞苦，在暴風雨中埋頭苦幹，才是真正自強的辦法。

第五，我們要有精誠的團結。提到團結兩個字，我心裏不禁感到一點慚愧。因為我們有了這種覺悟，這種思想，這種口號已經好久了，然而事實卻不能夠讓我們滿意，現在也用不著將明顯的例子來證明這種失敗，大家摸著良心也就可以明白了。只是我希望今後全國上下，能夠站在國家的山河下，民族的歷史前，我們重新宣誓，放棄個別的私見，以整個民族的生存問題為先決條件，團結起來，共赴國難。

國家已經到了生死關頭，危機四伏，正是千鈞一髮的時候了，我們不能猶豫，彷徨，同時更不能灰心，失望。從現在起，我們要下一個自強的決心，有了這種決心，前面的荊棘叢裏也未嘗沒有一線曙光，就是國家亡了，我們也有恢復的辦法。菲律賓、土耳其、波蘭，都不已經從壓迫下重獲得了自由嗎？只是我們問問自己，有沒有透徹的覺悟，有沒有自強的決心，有沒有堅強的意志，有沒有高尚的氣節，願不願意勞苦地工作，願不願意精誠地團結。如果我們還是隨波逐流，寡廉鮮恥，自私自利，苟且偷安，不但國家沒有復興的希望，同時民族還有滅亡的危險，那個時候，我們永遠成了民族的罪人，在

並被要求背叛漢朝，臣服單于。蘇武嚴詞拒絕，因而慘遭酷刑，後被流放到西伯利亞貝加爾湖一帶牧羊。在貝加爾湖，蘇武每天拿著使節牧羊，達19年之久，希冀有一天能夠回到自己的國家。新單于即位後，執行與漢朝和好的政策，漢昭帝立即派使臣把蘇武接回國。公元前81年，蘇武終於回到長安。

歷史上受人千載的咒罵。

　　諸位！中華民國的國旗，已經在暴風雨中飄搖不定，請我們大家一起來扶持使它能在東亞的大陸上，永遠地飄揚。

兩個病夫國

孫述漢

孫述漢，滬江大學政治系學生，一九三七年畢業。〈兩個病夫國〉曾獲華東十大學國語演說競賽第五名。本文摘自北京大學圖書館館藏，滬江大學一九三七屆學生編輯、一九三五年二月一日出版的季刊《騷墨》。

主席，公正的評判先生，諸位來賓，諸位同學，我現在所要講的題目就是：兩個病夫國，是世界上以病出名的兩個國家。這兩個病夫國，可巧都生在運動中的亞洲，都有過光榮的歷史，又都是為白種人所瞧不起的民族。一個就是「近東病夫」土耳其，一個就是「遠東病夫」中國。中國的土地比土耳其大，人口比土耳其多，歷史比土耳其長，物產比土耳其豐富，所以在這兩者之間，中國是一個多病的老大哥，土耳其是一個多病的小弟弟。這一對多愁多病的哥兒倆，自從進了十九世紀以後的世界，就不住的受外來惡勢力的欺侮，摧殘，宰割，弄得支離破碎，病體一天不如一天了。現在我所講的就是這兩個病夫國的過去歷史和目下情形的比較。

原先，土耳其本來也是一個強國。當然，歷史告訴我們，世界上任何衰落的國家，他的祖宗，都曾經強盛過的，土耳其當然也不能例外。他的衰落，開始在一五七一年十月在勒伯多灣跟西班牙、威尼斯

開了一仗，這是他不幸命運的肇端[1]。接著，在一六八三年，又吃了奧大利的敗仗[2]。到了十九世紀，更是一個多難之秋，俄羅斯軍隊的南下，希臘的革命，埃及的叛變，都是土耳其致命的創傷。到了二十世紀的初年，歐戰爆發，土耳其對德親善，被捲入了大戰的漩渦，結果割地求和，簽了不少喪權辱國的條約，其情形等於亡國。那時候我敢說，土耳其的國運，已經到了他不幸的最高峰！

再說我們的中國吧，積弱恐怕要從前清末葉算起。那時候滿洲政府的腐敗，官僚的貪污，人民的頹廢，真真是聳人聽聞。所以在一八九四年，甲午戰爭爆發，初次和日本人一碰著，就是一敗塗地。北洋艦隊完全覆沒，遼東失守，朝鮮脫離，還得割讓澎湖列島。這樣一來，邊防大開，外國人長驅直入，你來簽一個條約，他來要去一塊土地，弄得支離破碎，國家的顏面掉光。中間雖然有我們先知先覺的孫總理，登高一呼，倡立革命，帝制總算推翻了，民國總算成立了，可是二十幾年以來，我們國家所表現的又有些什麼成績呢？土耳其不幸的最高峰，我們說他是在歐戰結束的數年裏面，我們中國不幸的最高峰，我可不敢說是在什麼時候了！

諸位，土耳其目下的情形，可跟我們兩樣了。土耳其在他千鈞一髮的時候，來了這麼一個大無畏精神的凱末爾[3]，第一步就把京城從

---

1 即勒潘多海戰，是世界上最後一次駛槳戰船海上大會戰。大戰中，土耳其海軍被西班牙和威尼斯聯合海軍擊敗，土耳其自此失去了地中海的制海權。

2 「奧大利」應為「奧地利」。1683年，奧斯曼土耳其帝國軍隊圍攻維也納，遭到基督教聯軍的阻擊，土軍大敗。這就是土耳其在歐洲擴張的頂點，自此再也無力北上。

3 凱末爾，土耳其的民族英雄，生於1881年，原名穆斯塔法。凱末爾從軍事學校畢業後，在君士坦丁堡參謀本部任職，開始從事反封建鬥爭，建立了與王朝為敵的秘密政治組織，一度被捕。1919年，凱末爾創建共和人民黨，發動反帝反封建的資產階級革命。1920年，他在安卡拉建立資產階級政權——大國民議會，當選為主席兼國民軍總司令。1922年，凱末爾領導的軍隊擊敗了希臘侵略軍，1923年，土耳其共和國成立，凱末爾當選首任總統，直到1938年逝世。

君士坦丁堡移到了昂哥拉，脫離了列強的挾制。然後，不管列強的同意不同意，他就把領事裁判權收回了，把不平等的條約廢了，把國稅也自主了。這種快刀斬亂麻的手段和毅力多麼爽快，多麼的令人佩服。這樣一來，難怪那土耳其的國運，蒸蒸日上了。最近在國際聯盟席上，土耳其還當選非常任的理事。在這時候，誰敢對土耳其加以輕視？誰敢對土耳其加以非議？誰還敢叫土耳其做「近東的病夫」呢？可是我們中國呢，說來實在可憐，我們依然蹲在這殖民地的地位，不平等的條約還高高地壓住我們，領事裁判權不能夠收回，關稅還操縱在外人的手裏，現在還加上一個滿洲偽國，不能討伐，最近還鬧著經濟的恐慌，財政上的沒有辦法。這種種現象，都足以表示出我們這「遠東的病夫」近二十年來以來，雖然不至於病入膏肓，總可以說是病無起色了，要比起那十幾年前跟我們同病相憐的土耳其，那真是一個天上，一個地下了。

　　諸位，中國真的就這樣子的沒有希望了嗎？真的就永遠落伍了嗎？真的就這樣的結束了幾千年來光榮的歷史嗎？我敢說，只要我們全國的青年，全國的民眾，大家一致認清，國家是大家的國家，救國是大家的工作，振作精神，放棄那頹廢的人生觀，建立起新的思想，新的觀念，新的人格，我們中國是有希望的，是有無窮盡的希望的。正像是一個動物身體的發育，全靠著新鮮有生命的細胞，國家的轉弱為強，轉貧為富，也要靠那活潑有作為的青年。土耳其的強盛，不是凱末爾一個人的力量，是全國民眾、全國青年的力量。我們中國未來的希望，也都在我們中國青年的肩上。所以現在的中國青年，責任是非常重大的，環境是惡劣的，地位是非常危險的，他的一言一笑，一舉一動都跟國家發生拆不開來的關係。可是照目下情形看起來，中國的青年裏面，很少能擔當這救國的重責的。要能擔起這救國的重責，至少大家都得埋首圖書館之餘，學一學下面三樣東西：

　　第一，我希望中國青年大家都去學那秋天的野草，學他那百折不回的毅力和不屈不撓的意志。我們知道野草一到秋天不是常常被風吹霜打被火燒嗎？他是枯萎了，他是衰落了，可是一到了春來大地，它依舊是綠滿江南。青年人在社會上的工作也是這樣，有反對，有阻礙，有失敗，可是在另一方面，光榮勝利成功全靠我們自己找去。所以我說，秋天的野草是我們第一個很好的榜樣。

　　第二，我希望中國青年大家都去學那牆頭的蜘蛛，學他的實事求是，不講虛名的美德。蜘蛛在黑暗的地方，佈下網子，替人類捉害蟲，造幸福，可是人類中誰去注意他呢？誰去理會他呢？而蜘蛛他也不求人類的理會，不以人類的注意為光榮，只願埋首苦幹，行他的心之所安。青年人的救國運動，正應該有蜘蛛這樣的精神。譬如說吧，念書的把書念好了，念書就是救國；農人把地種好了，種田也就是救國；工人努力工作，商人繁榮市面，不販仇貨，都是救國。不一定要跑到十字街頭去喚口號貼標語才算救國，所以我說蜘蛛是我們第二個很好的榜樣[4]。

　　第三，我們希望中國青年大家都去學駱駝，學他那魁梧奇偉的體魄。駱駝在動物裏面，要算最強壯的了。他能夠吃別的動物所不能吃的苦，做別的動物所不能做的事。現在中國青年最大的毛病就是不能夠刻苦耐勞。這也難怪，一向嬌生慣養的公子哥兒，你教他怎麼去刻

4　孫述漢此觀點顯然有誤。根據刊載此講演稿的季刊《騷墨》出版時間判斷，孫述漢發表此講演的時間應為1934年年底或1935年年初。此時中國已經歷了1931年的「九一八事變」和1932年的「一二八」事變，日本已經佔領中國東北，偽滿洲國已經成立，《淞滬停戰協定》也已簽訂，中國正面臨著日本帝國主義繼續侵略的危險，抗日救國也已成為全中國人民的共同呼聲。正因如此，很多熱血青年紛紛走上街頭，宣傳、動員抗日。孫述漢此觀點可能和當時滬江大學校方努力不讓學生參與政治的環境、氛圍有關。劉湛恩也曾一度秉持「不消極！不破壞！」的「本份」思想。

苦，怎樣去耐勞呢？這樣看來，所以我說駱駝是我們第三個很好的榜樣。

　　諸位，請你們不要忘記「東亞病夫」裏面，現在只剩了一個了，只剩下我們中國一個了[5]。同時，請你們更不要忘記，二十世紀的世界裏，是沒有病夫生存的餘地的。中國要圖生存，就得奮鬥，要想奮鬥成功，就得靠活潑有作為的青年民眾的努力。我希望在座的諸位青年，從今天起，都拿出野草一般的毅力，蜘蛛一般的精神，駱駝一般的體格來救自己，來救國家，使我們中國，在最近的將來，也跟土耳其一樣，脫離了東亞病夫的恥辱，走上那光明的快樂康莊大道！

5　原文如此。演講者本意是說，現在只剩下我們中國這個「東亞病夫」了。

民族生存的條件

孫述漢

　　本文為孫述漢演說競賽中的講演稿，摘自上海理工大學檔案館館藏《天籟》第二十四卷第一期（1936年秋季號）。

　　主席，評判先生，諸位同學，本席現在所要講的題目就是：民族生存的條件。「生」就是「生活」的生，「存」就是「存在」的存。提起了「生存」兩個字，凡是地球上的生物，我想誰都是高興的，誰都是需要的，譬如說吧，小的動物象爬蟲，大的動物象走獸，不大不小的動物象在座的你我，誰都要生，誰都要存。可是諸君，你也要生存，我也要生存，到底誰不生？誰滅亡呢？所以，科學家告訴我們說：「適者生存，不適者淘汰。」換句話說，就是要求生存，先得適合生存的條件。目下我們的國難是這樣的嚴重，這樣的緊張，我們國家和民族的前途，顯然只有兩條可走的路：　一條就是滅亡，一條就是生存。現在我們每個中國青年的心裏，大概都有這麼一個問題，就是怎樣才能把我們的國家，從那黑暗的滅亡的道路上拉回來，送上光明的生存的道路上。為了解決這個問題，我覺得「民族生存的條件」很有加以討論和研究的必要。

　　就我們中國目前的環境看起來，民族生存的條件，頂重要的有下面三點：

　　民族生存的第一個條件，就是要有集團化的行動。集團化的行

動，換句話說，就是團結一致的行為和動作。團結一致是人類求生存惟一的要素，歷史上從來沒有不具團結一致的精神而能生存的國家！我們中國一向是有一盤散沙的「美稱」的，而我們自己想想： 紛爭的時候多，團結的時候少，因為內部的不能團結，所以政府不能有統一的力量，來抵抗敵人，也不能有統一的力量，來管理內政。我們目下這空前的困難，就是這樣造成的。我們過去之所以不能夠團結，原因很多，不過其中最重要的，乃是由於我們彼此之間，不能互相原諒的結果！中國一般人的毛病，總是嚴於責人，而寬於責己，別人有了什麼錯處，自己一看就看出來了，而自己做錯了事，非但自己感覺不到，就是旁人好意的指責出來，也絕不肯虛心接受的。這種結果，人跟人之間，永遠是互相監視，互相猜忌的。

從前，韓昌黎[1]有句話說：「古之君子，其責己也重以周，其待人也輕以約。」我們只要了解這句話的意義，那麼別人有什麼小錯，我們能原諒他；在另一方面，自己如果發覺到什麼錯處，也得要知過必改。這樣一來，許多無謂的誤會，許多無謂的猜忌，就不容易發生了。然後，我們才可以達到行動集團化的目的。諸位！行動的不能一致，足以使家庭不和，社會腐敗，以至於國家滅亡，所以我認為，「行動集團化」是民族生存的第一個條件。

民族生存的第二個條件，就是要有軍隊化的生活。軍隊化的生活，就是一種向上的生活，是我們青年一點興奮的藥。我們一般國民的生活，跟軍人的生活，是越來越遠了，不但成年人是萎靡不振，走上那驕奢淫逸的道路，就是青年子弟，也受了成年人的影響，不知不覺的走上那滅亡的道路！我們目下這空前的國難，也就是這樣造成功

1 　即韓愈（768-824），字退之，河南河陽（今河南省焦作市）人，唐代文學家。祖籍河北昌黎，故後人稱他為韓昌黎，他的文集命名為《昌黎先生集》。諡號「文」，又稱韓文公。

的！其實軍人的生活，並沒有什麼難以做到的地方。軍人的生活簡單說來： 第一是要守紀律。紀律是國家組織的基礎，是人類生存的要素，沒有紀律，便沒有組織，便不能夠生存。假如我們每個人，都順著自己的高興，愛怎樣做，就怎樣做，那麼社會還成什麼社會，國家還成什麼國家。第二是刻苦耐勞的精神。外國人說我們中國人是十八世紀的生產，是二十世紀的消費，這句話不能算是嘲笑，這是我們實實在在的情形。只要看看我們每年入超的情形，就可以知道，這句話是不錯的。所以現在我們只能模仿人家生產的方式，而不能跟人家比消費的程度，因為我們吃苦的日子，還在後面呢！第三是敏捷乾脆的行動。二十世紀是一個生存競爭頂激烈的時期，遲鈍、猶豫，就是落後，落後就得失敗。我們中國青年，不但做起事來，是拖拖沓沓，就是講起話來，也是扭扭捏捏的，這種不爽快的習慣，非要軍人的生活來糾正不可的。所以我說，軍人的生活，就是民族生存的第二個條件！

民族生存的第三個條件，就是要有科學化的精神。科學化的精神，就是一種求真的精神，用可靠的、精密的方法，虛心的、誠實的態度，去尋求真理，就是科學。科學的長處，大概有下面兩點： 第一，是求真精神的表現。科學知識之所以可貴，不光在他的結果，乃在求得這種結果的過程跟步驟。一個科學家，必須經過一步步的推敲，一步步的實驗，才肯放心，這得要人家也經過同樣的步驟，作精密的考覈之後，這學說才能成立。一個科學家，決不是自欺欺人的，在求知的過程當中，稍微覺得心裏有點不安，就不肯輕易放過，稍微觀得有點不準確不透徹的地方，情願從頭再實驗再研究，像這樣求真的精神，只有在科學裏面，才有充分的表現。第二，科學之所以可貴，是在於他不妥協的態度。科學的知識，就是真理，真理就是絲毫不苟的。科學家忠於他的工作，除了真理，他不信任其它的一切；除了真理，他也不依賴其它的一切。一個科學家，斷不能一方面研究物

理化學等科學，一方而又去相信那卜卦算命等邪說。這種種的矛盾，都是一個科學家所絕對不允許的。像這種不妥協的態度，也只有在科學裏面才有充分的表現。諸位！事實告訴我們，缺少科學化精神的民族，往往是要受天然淘汰的，所以我認為科學化的精神，是民族生存的第三個條件！

總括以上所講，民族生存的條件：　第一，是集團化的行動；第二，是軍隊化的生活；第三，是科學化的精神。諸位，中國現在已經到了她的生死關頭了，時代不答應我們再做那溫柔美妙的好夢，我們趕快從這三個條件方面，去埋頭用功吧！

從自然的選擇到文化的選擇

楊詩興

　　楊詩興（1911-），男，湖北武漢人。我國著名的動物營養學家。一九三六年畢業於滬江大學生物學系，獲理學學士學位，曾任滬江大學基督教學生團契副主席。畢業後歷任滬江大學生物學系助教，湖南湘雅醫學院生物系助教、講師，中國科學院生物研究所動物學部研究員。一九四五年考取《中英庚款》第八屆公費留英畜牧學研究生，赴英國愛丁堡大學深造，一九四六年獲該校農學院動物育種研究生班畢業文憑，一九四八年獲該校哲學博士學位。一九四八～一九五一年任英國漢娜乳牛研究所研究員。一九五一年回國後任西北畜牧獸醫學院和甘肅農業大學畜牧系主任、家畜飼養及營養學教授。一九七八年起，先後主持並參加蛋雞、甘肅黑豬、湖羊、中國美利奴羊和長毛兔飼養標準的研究和制訂。主編有《家畜飼養學》、《飼料營養價值評定方法》。一九八〇年起任中國農業科學院蘭州畜牧研究所所長、研究員，一九九一年退休。

　　本文為楊詩興在滬江大學就讀期間參加講演比賽時的文稿，摘自上海理工大學檔案館館藏《天籟》第二十四卷第一號（1936年秋季號）。

　　主席，各位評判，各位同學，我今天的講題是〈從自然的選擇到文化的選擇〉。

　　什麼是自然的選擇呢？要答覆這個問題，請諸位把滬江校園內最近幾天的景象和前兩三月的比一比。兩三月以前一片碧綠的芳草，現在怎樣了？兩三月以前在風中招展的柳葉，現在怎樣了？兩三月以前在樹枝上高唱的蟬蟲現在怎樣了？死的死了，枯的枯了，零落的零落了。現在我們在校園內還能看見的一點青綠色，只不過幾棵冬青與柏子樹而已。為什麼那些芳草柳葉會凋殘了，為什麼冬青柏子還能生存？原因很簡單，因為天氣漸冷，那不能適應這氣候的，就被淘汰；那能夠適應的，就能生存。這就是一幕自然的選擇劇。

　　自然選擇是一幕偉大的戲劇。她的戲臺，不止滬江這小小的一角，而是包括全世界；她裏面的演員，也不止幾個花樹，而是包括世界一切的生物。她是一幕很長的戲劇，從開天闢地演到現在。

　　世界正是因為有這一幕劇，所以世界是一個奇妙美麗的世界。我們看從南極到北極，從喜馬拉雅山的山峰直到太平洋的海底，在各種不同的自然環境，就選擇了一種適應那種環境的生物。比方，在冰天雪地的北極，只有皮毛深厚的熊，在赤地千里的沙漠，才有背儲水囊的駱駝。在暗無天日的太平洋的海底，才有周身發光的大魚。這一切森羅萬象的生物，把世界點綴成一個奇妙的、美麗的世界，這是自然選擇的第一個偉大的貢獻。

　　不但如此，因為有了這一幕劇，所以世界是一個進化的世界。我們回頭看一看，一千七百萬年前古生代，世界是長滿了一種不開花不結果屬於羊齒科植物的假樹。現在怎樣了呢？因為氣候的變更，被淘汰了。七百萬年前中生代，有一種像龍一樣的大爬蟲蹂躪全世界。現在怎樣了呢？因為自然環境的變更，被淘汰了。五萬年前世界生物的領袖是一種像猿猴一樣的裏史達特人種。現在怎樣了呢？因為一次大冰期被淘汰了。經過這幾次大變遷被選擇出來現在生存在世界，繁殖在世界並且支配全世界的，只有我們近代人類，只有頭腦特別發達，

兩手特別靈便的近代人類。這類的進化是自然選擇的第二個偉大的貢獻。

　　現在我們問一問：　自然選擇對於人類是不是還有絕對的控制力量？要答覆這個問題，我可以舉一個淺近的比方。美國統治菲律賓後，曾致力開發菲島的經濟，振興教育。但是菲律賓人得了相當的知識程度後，他們要求獨立自治，經過許多努力，結果在上月十五日正式宣佈獨立。同樣的，人類祖先曾經是自然奴隸，但是從人類學會用兩腳站起的時候，就向自然宣佈獨立。從此，他們用文化的力量來選擇自己，使自己趨向進化之路。這就是從自然選擇到文化選擇的一個大轉變。

　　論到文化，是指一切的社會制度、道德宗教、風俗教育等等。他們表現選擇的例證很多，簡單地舉幾個例子：

　　比如中華民族是公認為酷愛和平的民族。為什麼我們愛和平呢？這與我們四千年來的農村社會有很深的關係。因為一個農村社會是建在和平良善的份子上。一般強悍份子是不容許生存於這樣社會中的。經過四千年來的選擇與淘汰，所以中華民族成為愛好和平的民族。我們再看斯巴達的民族，是以勇武見稱的，這和他們的教育制度有關係。一個斯巴達小孩出生以後，就交給國家受嚴厲的訓練，一般不能吃苦耐勞的小孩於是被淘汰，而健強的小孩就當選。經過這樣選擇的斯巴達民族，怎不勇武呢？

　　但是有一點要注意。文化的選擇固可使人進化，然而有時因為文化本身的缺失，不但不使人進化反而促其退化。比方蒙古的喇嘛教，規定每家出一人做喇嘛。因此曾經威震歐亞兩洲的蒙古民族，現在日趨於衰落。再看中國宗法家族社會制度，把一般只知有家不知有國的分子選擇起來，所以中國人在這國難危急的近日，還不能真誠團結。

　　總結以上，我們知道自然選擇對低級生物有絕對權威。他的選擇

方向是趨於進化的。人類用文化的選擇代替自然選擇。然文化選擇的方向，可以使人進化，也可以使人退化。

諸位，「五四」運動曾經引起一次關於東西文化問題的討論，今年一月十日國內十教授發出建設中國本位文化宣言[1]，又引起人們對於這個問題的注意。我們明白了自然選擇與文化的選擇的關係以後，我們對於今後文化的採取，就有一個標準，那就是這種文化的選擇方向，必須是同自然選擇的進化方向相同。經過這種文化選擇後的中華民族，才能生存於世界。

1　1935年1月10日，王新命、何炳松、武堉幹、孫寒冰、黃文山、陶希聖、章益、陳高傭、樊仲雲、薩孟武等公私大學10位知名教授聯合署名，在《文化建設》雜誌第1卷第4期上發表〈中國本位的文化建設宣言〉一文，被稱為「中國本位文化宣言」，又稱「十教授宣言」、「三五宣言」或「一十宣言」。宣言引發了當時中國思想文化界關於「中國文化出路到底是中國本位還是全盤西化」的大論戰，是中國思想文化界對中西文化比較和鑒選的最集中的一次大討論。

中國大學生的出路

董美麗

　　董美麗，滬江大學政治係學生，一九三七年畢業。原編者指出，「本篇係本級董女士代表本屆華東十大學國語演說比賽獲得第一名之作品。言簡意賅，語重心長。亟登載以實本刊，且饗讀者。」出自北京大學圖書館館藏、滬江大學一九三七屆學生編輯、一九三五年五月一日出版的一九三四年度秋季期刊《騷墨》。

　　另據西安交通大學檔案網站《南洋公學・交通大學年譜》中記載一九三五年——乙亥年（民國24年）（http://202.117.16.53/archives/News/Show.asp?id＝1689）：一九三五年十二月二十二日，華東各大學演辯會英語演說比賽在交通大學文治堂舉行，滬江大學周公亮，其演講題目為「China in the Light of a New National Spirit」（新民族精神的中國），獲得第四名；董美麗，其演講題目為「Responsibilities of the Educated in China」（受教育者的公共責任）獲得第五名。周公亮同為滬江大學一九三七屆政治係畢業生，其講演稿已無從查找。

　　主席，公正的評判先生，諸位來賓，今天本席所要講的題目是中國大學生的出路。在本年的七月，北平市各大學畢業生組織了一個職業運動大同盟，並且上書給教育部要求國家替他們找尋出路[1]。教育

1　1934年7月1日，北平各大學畢業生組織的職業運動大同盟正式成立。7月20日，職

部為了這件事，宣佈將要成立一個學生工作諮詢處，並且通知各大學
分別地對大學生進行職業上的指導。大學生的出路，遂成為現代社會
上的一個嚴重的問題。一般的輿論，以為現在的大學生沒有出路，實
在是中國將來最大的憂慮，有的歸罪於考選制度的不普及，有的歸罪
於教育制度不良好，甚至有人主張把中國大學停辦二十年，以限制中
國大學生的過量生產。

但是，這種消息的批評，決不能解決目前的困難。大學生的出
路，是決不會因少數人的呼籲和一般人的高調而自然的出現於人間
的，大學生的出路，還得由大學生本身去努力，去奮鬥，去尋找。惟
有用自己的力量，去奮鬥出來的出路，才是真正的出路，越是在沒有
出路的時候找到出路，出路的價值也愈是可寶貴。所以現在的問題，
不是在中國大學生有沒有出路的問題，而是在中國的大學生肯不肯去
找尋出路的問題。

況且在現在的中國，政治文化一切落後，社會事業百廢待舉，需
要人才非常的緊急。在這樣機會孔多[2]的環境裏，而中國的大學生還

運大同盟請願代表在南京發表〈告全國大學畢業生書〉，強調職運大同盟建立的目
的在於引起政府、社會的注意，「為解決多數青年的失業問題而奮鬥，進而言之，
則復興民族，拯救國家」。職運大同盟運動很快得到了全國各大學畢業生的回應。
南京國民政府不得不採取積極的回應。行政院長汪精衛親自接見了職運大同盟留駐
南京的代表，並做出承諾：一，成立「全國學生工作諮詢處」；二，調查各大學畢
業生的失業人數，做整個計劃；三，與考試院磋商舉行考試，使學有專長者，不至
於無機會為國家社會服務。短暫的風平浪靜之後，新的畢業生就業請願運動又此起
彼伏地發生了。1936年6月7日，北平各大學畢業生再次組織了「服務運動大同盟」
運動。南京國民政府亦做出了一些反應，陸續採取措施尋求問題的解決。但結果是
大部分就業措施流於形式，未能收到預期效果，只有小部分畢業生獲得了政府提供
的職位。這除了與學校的教育體制、政府的用人制度有關外，最根本的原因在於缺
乏良好的國際、國內環境及時機來發展中國經濟，從而未能平衡就業市場的供求關
係。1937年全面抗戰爆發，南京國民政府就充分解決大學生失業問題的承諾，便成
了無法實現的空言。

2 「孔」有「很」、「甚」的意思。

在說出路困難，這未免有些矛盾。所以現在重要的問題，實在不是在中國大學生有沒有出路，而是在中國的大學生有沒有認清了他們的出路。

我覺得中國的大學生決不是沒有出路的，而且出路是很多的，只要我們能夠認清楚兩點：第一，認清大學生本身的使命；第二，認清楚出路的所在。中國大學生要找出路，首先得認清大學生本身的使命，關於這一點，又可分為兩小點。（一）我們為什麼進大學？（二）我們在過去的四年大學生活有沒有達到目的？現在大學生入大學的目的，不外乎以下三點：（1）取得大學畢業生的資格，以準備投身政界，陞官發財；（2）養成特殊階級的身份，以便在社會上獲得更好的地位，使個人享受到更多更好的權利；（3）研究專門學問，預備將來為國家，為民族去服務。第一種人以做官僚為目的，第二種人以做紳士為目的，抱著這兩種目的的人可以說在現代的中國大學生中占絕對的大多數。他們以為只要能混過四年的大學生活，取得一張畢業文憑，到手一個學識頭銜，就可搖身一變而為官僚，而為紳士。可是，在經濟落後的中國，決容不下這許多的剝削階級。於是，這般新官僚、新紳士才感到沒有出路的困難。如果大學生在大學時代，真正為學問研究，以服務公眾為責任，那麼，他們出了大學之後，在現在民族復興的時代，正有許多事業等待他們去做，又怎麼沒有出路呢？

大學生為了服務公眾的責任，就應在四年的大學生活中養成服務的精神，以準備將來肯耐勞刻苦地為大眾為民族去過奮鬥的生活。可是現在的中國大學怎麼樣呢？據國聯教育考察團的報告，「青年一入大學，即成特殊階級的一員，對於本國大眾生活全然不知，對於大眾生活的改進，毫無貢獻可言」。試問，這班過慣了少爺小姐式生活的中國大學生是否能為民眾服務，該不該在現代的中國找到出路。所以我們大學生，首先要在四年的大學時代，痛除享樂的習慣，養成勞苦

的精神，那麼，將來一出大學之門，決不會因爬不上官僚與紳士的階級，而就說是沒有出路的。

第二，中國的大學生要有出路又必須先認清出路的所在。什麼是大學生所應該有的出路？大學生該怎麼樣去找尋出路？我覺得現在的中國大學生，並沒有認清楚他們所應走的路，大家在黑暗中摸索。最可痛心的，就是一班大學畢業生，拋棄了他們所準備的職業，大家都向官僚紳士的路上擠著走，大家都想獲得一官半職，可以多得些金錢以便過著他們高等的華人生活。可是，在封建勢力尚未完全消滅的中國，一個初出茅廬的大學生，想要做官僚，做紳士，免不了要有地位、有勢力的父兄親戚朋友們的腳路，但事實上有這種腳路的又能有幾個？結果，還不是有許多的人走不通這條路。而且，自從中國失去了東北四省[3]，憑空的減少了官僚紳士的出路。在另一方面，中國政府因為國難當頭，節省政費，裁廢閒員，又無形中使這條出路愈發狹小，因之中國大學畢業生越感到出路的困難。這根本的原因，是由於中國大學生錯認了他們的出路。

那麼，什麼才是我們大學生真正的出路呢？我以為真正的出路，不僅僅是經濟的，也是道德的，不僅僅是個人的，也是大眾的、民族的。做官僚，做紳士，就算是做成功了，也不見得就是有了出路。因為只圖個人經濟充裕，而不管大眾、民族的幸福，也可算是得到了出路的話，那麼貪官污吏、土豪劣紳也都可以算是有出路的人了。請問，貪污土劣是不是我們大學生所應該做，所情願做的？所以，我們大學生的出路必須帶有道德的，大眾的，民族的意味，認清了這一點，那麼，只要我們能夠替大眾，替民族去盡一分力量，就是我們個人的地位十分低落，個人的生活十分困難，我想，我們道德高尚的大

3　參見前文〈中國茶業之復興〉中之相關解釋。

學生也會安之若素的。現在新生活運動，正在風行全國，民族復興也正在最高潮，倘使我們大學生，能按照新生活的標準，來努力從各方去幹民族復興的下層工作，那麼，我們的出路多著呢！至於不管中國社會的不景氣，不管中國民族的危機存亡，而一味只想過個人的享樂生活，那麼，現代的中國大學生的沒有出路，只是自作自受，用不著怨天尤人的。

　　現在，風雲險惡，決定我們中國民族的生死存亡的一九三六年正在來到，我們大學生們，正應犧牲個人的幸福，抱著為大眾去服務，為民族去奮鬥的精神，加緊步伐，握緊拳頭，破釜沉舟，以準備去打破兩年後的空前國難。時代再不允許我們迷戀著安全的美夢，也不允許我們彷徨在十字的街頭，我們要用我們的血去灌溉民族的鮮花，我們要用我們的手去打開民族的生路，我們要認清自己的使命，要認定出路的所在，要用自己的力量，去找出一條最光明最偉大的出路！

受教育者的公共責任[1]

周秉成

　　周秉成（Chow Ping-Cheng），浙江鄞縣人。在滬江大學附中畢業後，周秉成考入滬江大學商學系會計學專業，一九四七年畢業。原編者指出，該演講獲得了一九四七年四月校園演講比賽第二名。值得一提的是，周秉成這次講演的題目〈受教育者的公共責任〉和董美麗在一九三五年十二月二十二日華東各大學演辯會英語演說比賽中的演講題目〈Responsibilities of the Educated in China〉是一樣的。

　　本文摘自上海理工大學檔案館館藏、滬江大學一九四七屆年刊社一九四七年十二月出版的滬江大學年刊第三卷（即1947年年刊）。

　　——真誠地期望著什麼，當誠摯地為此勞碌。

　　歷經多年籌備之後，共和國的根本憲法於民國三十六年的首日頒佈[2]。世人都承認我國政府的這項偉大的法律已成為現實，中華民國將在世界進步的潮流中佔有一定的地位。憲法將幫助我國政府更快地

1　本文由上海理工大學教師陳剛翻譯。
2　《中華民國憲法》於1946年12月25日由國民大會通過，1947年1月1日由中國南京國民黨政府頒佈，共計14章175條。《中華民國憲法》的基本特點是：以自由平等為標榜，堅持維護國民黨的一黨專制；以「平均地權」、「節制資本」為名，保障封建土地剝削制度和官僚資本的經濟壟斷；以「民有、民治、民享」的「民主共和國」之名，行國民黨一黨專制和蔣介石個人獨裁之實。

觸及民主的高峰,真正成為民有、民治和民享的政府[3]。

伴隨行政權力回歸到每位國民,我們應當意識到我國的體制是基於全體國民,而非基於其中的部分甚至那些逃避責任、背叛同胞之人。通過政治機構,公民的人身自由以及信仰自由可以受到保護,但僅僅這些機構並不能滿足需求。我們的安全不是靠機構,而是靠我們自身。我們真誠地期望什麼,就應當誠摯地為此勞碌。這種努力朝著民主的方向,力圖讓受教育者領導國家。因為他們的關心將對共有財產產生影響。

公共責任的表述並不只是指必要的官方職責,儘管這也包含其中。我僅僅指的是長久的、積極的參與所有公共事務之中──出席會議,委員會中任職,關注、憂慮以及於許多方面花費精力,對冷落、懊惱、嘲弄、失望、挫折的耐心忍受──所有這些都是義務與責任,對於行為自私與吝嗇的個人,形容他僅僅是政治家;但恒定、高尚、聰慧與警惕的表現是逐漸而成,由一塊塊石頭,一層層壘建而成的約束自由的那個偉大聖殿,所有慷慨的靈魂都祈禱我們的政府將其修建。如果受教育者不及時地、永久地履行他們的義務,其結果是,在自私無知或詭計多端且腐敗者的控制下,公共事務的品行下跌──請記住政府不是被無知者掌控,而是被受教育者中的背叛者掌控,不是因為壞人勇敢,而實在是因為好人的怯懦與缺乏信仰。

毋庸置疑,在政治上實用與活躍的興趣將引導人們去參與政黨的聯合與協作。政治改革對公眾有著長遠的影響,英格蘭穀物法[4]的終

---

3 美國政治家、第16任總統亞伯拉罕‧林肯在1863年著名的蓋茲堡演說中提出「民有,民治,民享」這句綱領性口號後,廣為各國接受,成為現代民主政府的定義之一。

4 1815年,英國政府頒佈極端保護主義的《穀物法》,凸顯了政府犧牲普通納稅人的利益為地主階級提供特權的不良形象。這也是英國保護貿易制度向自由貿易制度過渡的一個典型案例。1846年被廢除。

止，美國奴隸制的廢除，都是有步驟地努力與目標明確的結果，從而指導並喚起大眾的熱情與意願。但這種有條理的趨勢存在著致命的危險——過度的政黨意志。對於共和國與民族幸福進步的實實在在的保護而言，合理地控制政黨意志是必須的。通過災難深重的歷史進行教育，人們成為密友；通過虔誠地落實絕對的政黨意志，人們獨立的自以為是的習氣方能得到控制。對於受教育者而言，幫助打破政黨的束縛，擁有自我意識，宣稱個人的尊嚴與獨立，證明國家的最高榮譽比狹隘的政黨勝利珍貴得多。

目前，我國的憲法仍處於草創階段。和其它人一樣，我真誠地希望，我們國家的受教育者會擁有崇高的公民意識，不管其所在的政黨是執政或者在野，他們都會清晰地意識到何為正義，國家所需之繁榮為何，並決心無畏地應對一切，使國家能夠富足而昌平，更加完美地融為一體。這是愛國主義的精神。這種精神圍繞著共同富裕，伴隨著道德準則的光輝，陳述著我們這個偉大國家與幸福民族的非凡而神聖。

中華民國應該採取內閣制
而非總統制（一）[1]

吳乃衍

　　《滬江大學月刊》第十一卷第一期頁六十五記載——「辯論優勝」：（1921年）十二月八日，東方四大學[2]英文辯論賽滬江與之江組的比賽在本校禮堂舉行，結果滬江方面全勝。而《滬江大學月刊》一九二一年十二月英文版第十一卷第一期頁三十七～三十八「校聞」欄目中則有如下記載——「校際辯論賽」：

　　之江大學和滬江大學的校際辯論賽於一九二一年十二月八日（星期四）晚上八點在滬江大學舉行。辯題為「中華民國應該採取內閣制而非總統制」，滬江大學為正方，之江大學為反方。代表滬江大學參加辯論的選手是：一辯 Woo Nai Yien，中文名「吳乃衍」，滬江大學教育系學生，一九二三年畢業[3]；二辯 S. W. Djang，即 Djang Si Wei，

1　本文由上海海洋大學教師杜義美翻譯。

2　1949年前，中國共有13所基督教大學。東方四大學一般指華東四大學，即13所基督教大學中的4所：美國聖公會於1879年在上海將所轄的培雅書院、度恩書院合併而成的聖約翰大學（Saint John's University）；美國浸會於1906年在上海創辦的滬江大學（University of Shanghai），今上海理工大學的前身；美國長老會1845年在浙江杭州創辦的之江大學（Hangchow University）；美國衛斯理會1888年在南京創辦的金陵大學（University of Nanking）。

3　吳乃衍後在上海市敬業中學任教，是外語教研組組長。其夫人王佩貞是滬江大學教

中文名「張四維」，滬江大學宗教係學生，一九二三年畢業；三辯 E.
L. Pan，即 p'an en ling，中文名「潘恩霖」。滬江大學隊準備充分，
思路清晰，所以辯論的結果幾乎沒有什麼懸念。而在另一場小組賽
中，根據剛剛得到的消息，金陵大學隊戰勝了聖約翰大學隊，所以，
滬江大學隊將要在下學期的某個時候和金陵大學隊進行決賽，爭奪冠
軍[4]。

　　講演稿全文刊載於華東師範大學圖書館館藏、一九二二年一月英
文版《滬江大學月刊》第十一卷第二期頁七～十九。原題為：
「Winning Speeches of the Opening East China Intercollegiate English
Championship Debate」（滬江大學在東方四大學校際英語辯論賽中的
獲獎演說）。

　　主席，尊敬的評委，女士們，先生們，你們好：
　　今晚我有幸提請大家關注一個自一九一一年大革命[5]以來倍受政
治家們關心的問題：中華民國是否應該採取內閣制而非總統制。
　　作為正方一辯，我首先向大家解釋一下這兩者的本質及功能。在
內閣制下，行政各部長是從議會成員中獲得立法機構多數票認可選舉
產生的。他們執行首相的命令，在實踐中有一致的政策和責任。作為
官員個體，他們履行國家的行政職責，管理各自部門；作為集體，他
們制定政府的公共政策，他們對議會負責。這就意味著，當內閣部長
得不到大多數人民代表的認可時，就必須集體辭職，重新舉行議會大
選。世界上最早實行內閣制的國家是英國，後來法國、意大利、比利

　　育系1926屆畢業生，後任裨文女子中學（後來改稱私立滬南女子中學、上海市第九
　　女子中學）校長。
4　從相關記載分析，滬江大學最後沒能奪得冠軍。
5　即辛亥革命。

時、丹麥、瑞典、奧地利、匈牙利、德國及其它一些歐洲國家紛紛採納。有必要說明一下，內閣制在這些國家相當成功。

總統制的特點是以總統為行政首腦。總統一般由全民直接或間接選舉產生。根據憲法規定，總統有一定的任期。除非遭到彈劾（而這在美國歷史上從未發生過）[6]，否則立法機關無權縮短總統的任期，不管其有多麼暴虐或無能。立法機關也無權強制總統執行其政治和行政政策，更不能以直接合法的方式控制總統的行為。目前世界上採取總統制的國家有美國及其它一些美洲國家，但運行結果大都令人懷疑。

解釋完這兩種體制，我懇請大家把焦點集中到目前的中華民國。自辛亥革命以來，我國已經實行以及目前實行的是什麼體制呢？根據一九一二年的臨時憲法，當時名義實行的是議會共和制。但自袁世凱即位後，真正的總統制在我國產生。他解散了國會，並規定未經他本人同意，國會不能通過任何決議。袁世凱死後，黎元洪恢復了國會，實行內閣負責制。但幾個月後，由於軍閥們的無理干涉，國會又被解散，內閣成員也不再負責立法事宜。從馮國璋總統即位至今，中華民國還沒實行立憲制，國家大權由軍閥們掌控。而軍閥們無視民族利益，為一己私利混戰，置國家紛亂於不顧。

在我們議到正題之前，我想先提醒反方辯手注意，我們今晚在這裏是要討論一個攸關中華民國生死存亡的治國策略。我們雙方有責任有義務去做出這樣的抉擇： 到底是實行總統制還是內閣制，哪一個更適合中華民國？我們問題的根本不是總統制是否應該被內閣製取代，因為這兩個體制在當前的中華民國都不存在。所以我要重申我們今晚要討論的是我們應該採取哪一種體制。

6　此處有誤。本次辯論的時間在1921年12月，此前美國已經有一位總統遭到彈劾調查。即美國第20屆（第17任）總統安德魯‧詹森（1865-1869）。不過，在對彈劾案進行的投票表決中，安德魯‧詹森以一票之差不足定罪，被宣告無罪。

　　女士們，先生們，請注意我們的第一個主要觀點。作為正方，我們認為內閣制更適合我國，因為它更高效。高效指的是取得成就的實力而非妨礙阻撓。效率是一個好政府必備的特徵。哈佛大學校長 A. Lawrence Lowell[7]在他的《英國政府》報告中說過，內閣制的基本功能就是協調並指導政府不同部門的政治行動，以制定統一的政策。內閣成員受議會控制，同時對議會施加其影響，並為其提供必需的信息。在內閣制下，內閣對行政管理和法律實施負有責任。另一方面，議會對行政行為負責，同時有權履行該責任。內閣的暴行受議會的嚴格監管，因為議會有權在發生騷亂的時候迫使閣員辭職；而責任內閣又可防止議會權力過度膨脹，因為只要公眾支持，內閣可要求重新舉行議會大選。所以在內閣制度下，政府的職責就是獎罰分明，而且行政和立法機構會為共同的目標而相互忠誠合作。因此，政府效率高，國家比任何體制下進步都快。

　　而在總統制下，行政和立法互相獨立，總統為行政首腦，他沒有主動權，對議會也沒有影響力。議會對行政行為不負責，對行政部門也不具有完全的控制權。與立法和執法有關的個人和部門互相關聯，這樣一來，雙方會互相推諉責任，沒人願意全力以赴，一旦發生過失，就無從追究了。自一八七七年至今，美國政府元首只有二十年即不到一半的時間裏，在國會獲得大多數人的支持，其中有十四年共和黨執政，有六年民主黨執政。在其餘的二十四年裏，總統和國會背道而馳，阻礙了國家的政治進步。James Bryce 教授[8]在他的《美國國

7　勞倫斯・羅威爾（Abbott Lawrence Lowell），1909-1933年任哈佛大學校長。在任期間，勞倫斯・羅威爾主持改革了本科教學，開創了學生可以跨學科自由選課的先河。

8　布賴斯（James Bryce, 1838-1922），畢業於牛津大學，曾在牛津任教，英國著名的法學家、歷史學家和政治家。《美利堅合眾國》（又譯《美國聯邦》）是他在擔任英國駐美國大使時的著作。此外，還著有《神聖羅馬帝國》、《現代民治政體》等。

家》一書第一卷頁二百九十四寫道「總體而言，美國總統制缺乏一致性。各部門互相分立，勁不往一處使，也就不會產生一個和諧的政府。」

女士們，先生們，現在請大家把注意力集中到我們多災多難的中華民國。山東問題還沒解決[9]，南北還沒統一，人民的教育問題還沒得到改善，自然資源也沒得到開發。讓我們捫心自問一下，這麼多問題懸而未決，中華民國還有希望嗎？如果答案是否定的，我們需要怎麼做才能解決這些問題呢？需要的是更多的人口，還是更大的疆土？顯然這些都不是解決之道。我們真正需要的是一個強大合作的政府，一個能帶來高效和諧的政府——內閣政府。為了中華民國，為了四萬萬兄弟姐妹，我們正方堅決要求實行內閣政府。

9　1919年，戰勝國之一的中國代表團成員參加巴黎和會。會上日本政府要求以戰勝國身份接管戰敗國德國在中國山東的一切權益。代表團靈魂人物顧維鈞為此準備了《山東問題說帖》，力陳中國不能放棄孔夫子的誕生地山東，猶如基督徒不能放棄聖地耶路撒冷，震撼歐美代表，扭轉了輿論形勢。後由於意大利退出和會，英法美害怕日本的退出導致和會流產，於是按日本要求，將德國之山東權益割讓給了日本。在顧維鈞的主持下，中國代表團拒絕在《凡爾賽和約》上簽字。山東問題直至1922年的華盛頓會議才在美國調停下簽訂《解決山東問題懸案條約》，日本將山東及膠濟鐵路歸還中國，中國則開放當地為商埠，並提供日本僑民在當地的一些權益。此次辯論的時間是在1921年，所以，辯者說「山東問題還沒解決」。

中華民國應該採取內閣制
而非總統制（二）[1]

張四維

　　主席，尊敬的評委，女士們，先生們，你們好：

　　我的同伴剛剛已向你們闡明了只有在內閣制下，立法與行政部門才能高效地承擔義務，開展合作。而眼下的中華民國急需這樣的政體。因為在內閣制下，立法與行政密切聯繫，這就減少了彼此之間摩擦的產生，而這種摩擦在總統制下是不可避免的。而且，權力分離益處仍然存在，而且比在總統制下更加高效地運行。根據憲法規定，只要擁有議會大多數人的支持，內閣就繼續執政。如果在重大問題上，對議會大多數人是否代表國家這個問題存在疑慮，首相可要求對國會進行重新選舉。假如選舉中大部分議員支持部長，內閣就可獲得重生。這種現象在日本、德國、法國及英國屢見不鮮。一八三一年，Lord John Russel[2]實施其大改革方案時被議會否決，他要求重新舉行議會大選並最終贏得了勝利，確保了其在議會中的大部分席位。英國首相Gladstone[3]曾兩次因其無法獲得大部分人支持而要求重選議會。

1　本文由上海海洋大學教師杜義美翻譯。

2　約翰・羅素（Lord John Russell, 1792-1878），第一代羅素伯爵，活躍於19世紀中期的英國輝格黨及自由黨政治家，是一個堅定的改革支持者，曾兩次出任英國首相。

3　威廉・尤爾特・格萊斯頓（William Ewart Gladstone, 1809-1898），英國政治家，曾作為自由黨人四次出任英國首相。

女士們，先生們，重選議會意味著什麼呢？意味著雖然議會掌控行政權，但只有與民意相一致才能真正生效。這體現了內閣制下權力分割的高效。權力集中在一個人，幾個人，哪怕是許多人手裏都被看作是暴政。但內閣制下，各部門互相牽制，既避免了摩擦的產生，又確保了相對的獨立。而且，在總統制下會產生一批將為不懂政治的選民提供建議當成自己職責的人。全體選民選舉州政府、市政府官員乃至提名總統的權力都交給了各級職業政客。各部門權力沒有分開而是集中在少數人手裏。

說得深入一點，總統獨裁足以毀滅整個國家，只有實行內閣制才可避免這一危險。總統制下，總統有絕對的任免權，內閣由總統指定的官員組成。外交部，海陸軍的官員也主要由其任命。他甚至不用參考參議院意見就可罷免各部門不聽從其指令的頭頭腦腦。總統還享有絕對的赦免權。只要他認為合適，他就可以任意行使這些權力。總統甚至在沒有獲得參議院同意的情況下可以和別的國家締結合約。羅斯福總統關於聖多明哥的舉措就是很好的一個例子。參議院並不認可該合約，但羅斯福總統不管公眾的反對，無視參議院的意見繼續執行該合約的主要條款[4]。

實行總統制的國家僅局限於南北美洲，而墨西哥、中美洲及許多南美洲國家還在可怕、可鄙地努力，試圖建立總統制。總統選舉很頻繁，每一次都意味著一場血腥革命，犧牲幾千條人命和資源。每一位新當選的總統都力圖實行絕對統治，暗殺和叛亂屢見不鮮。

---

4 聖多明哥是多明尼加的首府。美國總統希歐多爾・羅斯福在任期間，為預防歐洲干擾美洲事務，並保護當時正在建設中的巴拿馬運河，以門羅主義反對歐洲持續對拉丁美洲殖民主張，於1904年提出自己的羅斯福推論（Roosevelt Corollary），確定美國有權力介入拉丁美洲事務。於是，美國於1905年和多明尼加簽訂協定，確認由美國管理多明尼加海關外務，後又與多國簽訂維持此義務50年的契約，其中同意美國有義務將部分海關稅收用以償還多明尼加日漸增多的外債。

　　一九一八～一九四六年，路易士・拿破崙當選法國大總統。他宣誓永遠忠於民主共和國，並把那些企圖通過不合法手段推翻現有政府的人看成是全民公敵。他遵守誓言嗎？根本就沒有。一旦大權在握，拿破崙就極力實現他當皇帝的私欲。首先將他的任期由四年延長至十年，一八五一年又遣散了議會，最終成為皇帝。

　　現在請大家回顧一下我們的歷史。袁世凱通過軍事政變當上大總統。當著議員和來賓的面他宣誓在任期內要忠誠、誠摯、無私地效力中華民國。當時，人們對他效力於中華民國寄予了多大的厚望！可就在他當選後不久，為了掠奪權利達到他蓄謀已久的私欲，他就要求國會在臨時憲法第四十條款下增加了兩條，並修改了第三十三，五十四和三十五條款[5]，從而將所有的權力都集中在他一個人手裏。他還罷免了唐紹儀將軍[6]和農林總長宋教仁[7]，因為他們不服從他的一些做法。他的這些做法使他失信於議會裏的所有要員，失信於全民，最終爆發了叛亂。他又趁機自握軍權，遣散議會，大權獨攬，隨意踐踏他曾誓死效忠的憲法，以叛國罪逮捕了大批極力反對他帝國妄想的人士，並對他們實施囚禁或驅除出境。獲得這些最高權力後，袁世凱實

5　原文順序如此。

6　唐紹儀（1862-1938），又名唐紹怡，字少川，生於廣東。清末民初著名的政治活動家、外交家。曾任北洋大學（現天津大學）校長，中華民國首任內閣總理，國民黨政府官員。1911年12月，孫中山當選中華民國南京臨時政府大總統。袁世凱以為孫中山的當選為自己出掌國家最高權力製造了障礙，一氣之下不承認北方談判總代表唐紹儀與伍廷芳已達成的南北議和協定，並以唐紹儀越權行事為由將唐紹儀代表資格罷免，使南北議和陷入僵局。此處則指袁世凱就任臨時大總統後，唐紹儀就任第一任內閣總理，力圖推行責任內閣制，同袁世凱的意圖不能相容，1912年6月被迫棄職離京。1938年，在上海寓所被國民黨軍統特務刺殺身亡。

7　此處應指，在唐紹儀被迫棄職離京後，擔任內閣農林總長的宋教仁也被迫辭職，轉而積極主張組織純粹政黨內閣。在孫中山的支持下，宋教仁改組了同盟會成立了國民黨，成為國民黨的靈魂人物，對袁世凱的獨裁統治形成極大的威脅。1913年3月，宋教仁被袁世凱暗殺，最終導致「二次革命」爆發。

現了自己的皇帝夢。女士們，先生們，我剛剛談的這些例子足以證明我方的觀點。總統制下，總統有固定的任期，更易被權勢誘惑，在其任期裏人們無法削弱其日益增長的權欲。

我們都是愛國之士，我們都想為祖國的繁榮昌盛而努力。美國民眾享有全民教育，他們已經擁有多年的政治經驗，連他們都無法阻止總統權欲的增長和政治僵局的出現，又何談我們的民眾呢？因此我方認為，出於我們的愛國心，我主張在中華民國實行內閣制。

中華民國應該採取內閣制
而非總統制（三）[1]

潘恩霖

主席，尊敬的評委，女士們，先生們，你們好：

我的同伴剛剛已向你們闡明了內閣制下各部門協同作戰，責任明確和權力分立帶來的高效，也表明了總統制會產生獨裁和頻繁的政治僵局。接下來，我要向你們表明，內閣制政府是一個更加照顧民眾情緒的政府。我們深信，只有直接或間接由人民來管理的政府才能成為真正的「民族、民權和民生」[2]政府。要想有一個民主政府，人民或人民代表就必須直接全權參與管理。

內閣制下，一旦老百姓不滿意其實施的政策，國會只需要投反對票，就可能導致內閣失信而必須全體辭職。一九二一年十二月八日，星期四，即本日，上海新聞報刊載如下消息：

「加拿大總理落敗，多倫多，十二月七日——根據最新的全國大

1　本文由上海海洋大學教師杜義美翻譯。

2　三民主義（民族主義、民權主義和民生主義）是孫中山所宣導的民主革命綱領，簡稱「三民主義」。三民主義分為兩個階段，即舊三民主義和新三民主義。當中國革命進入新民主主義階段時，孫中山確立了聯俄、聯共、扶助農工的三大政策，把舊三民主義發展為新三民主義。

選結果，自由黨顯然佔優勢。Meighen 總統[3]和七個內閣部長慘遭失敗。」加拿大是內閣制政府。

再有，「由於總統獨裁，委內瑞拉幾近混亂。Willenrstad，Curacao[4]，十二月五日——據報導，Juan Gomez 總理[5]多年來一人專政，委內瑞拉發生混亂，幾近無政府狀態。」——委內瑞拉實行總統制。

這就是兩種體制之間的區別。

當然內閣的政策也許真正得到了多數人的支持，也許議會並不真正代表大眾的意願。號召舉行新的大選是為了確保民意的表達。如果閣員堅信議會無理占上風，他就有權呼籲全國人民重新選舉議會。假如多數人支持內閣，他們就選出那些支持內閣政策的人組成新議會。如果公眾的意見與內閣政策相左，那麼在議會中的反對力量就會得到加強，閣員必須集體辭職。我的同伴已經例舉Russel[6]和Gladston[7]來證明可以通過選舉那些支持或反對內閣政策的議員來表達公眾的意願。

另一方面，在總統制下，作為國家元首的總統有固定的任期，公眾的意願每四年甚至更長時間才被體現一次，他們根本就沒有機會解

---

3 亞瑟・米恩（Arthur Meighen, 1874-1960），出生於加拿大安大略省，是加拿大第9任總理，也是首位在加拿大聯邦成立後出生的總理。

4 Caracas即委內瑞拉首府卡拉卡斯。

5 胡安・比森特・戈麥斯・查孔（Juan Vicente Gómez Chacón, 1857-1935），委內瑞拉總統，被稱為「安第斯山暴君」。生於塔奇拉州農民家庭，沒有受過正規教育，後因從事畜牧業致富。1899年參加西普里亞諾・卡斯楚領導的軍事政變，被任命為聯邦區行政長官。1900年任塔奇拉州州長。1902年任武裝部隊總司令。1903年起任第一副總統。1908年12月，發動政變，奪取政權，以總統身份進行統治。

6 此處應指約翰・羅素（Lord John Russell）。參見前文〈中國應該採取內閣制而非總統制（二）〉關於約翰・羅素的注釋。

7 威廉・格萊斯頓（William Ewart Gladstone, 1809-1898），英國政治家，自由黨人，四次出任過英國首相（1868-1874年、1880-1885年、1886年以及1892-1894年）。

決其間所發生的新問題。在最近一次美國大選中，直接初選被完全漠視。政客們提名 Wood[8]，Lowden[9]和 Johnson[10]來彼此競爭，結果沒人獲得多數票。哈丁[11]當時沒有獲得提名，但就在大選接近尾聲時，五名參議員於周六淩晨三點在一家賓館秘密會晤。正是這五人最終選定哈丁為美國第二十九任總統。理論上講，總統直接對民眾負責，但實際上，無組織地對民眾負責即意味著不對任何人負責。一九一六年，代表民主黨參加總統選舉的威爾遜當選為美國總統。但兩年後民眾的意見發生了逆轉，當選的大部分議員都是共和黨。威爾遜失去支持，導致與德國的合約無法生效[12]，直到一九二一年七月，總統和議會成員屬於同一政黨，形勢才有所改觀。在這兩年零八個月裏，兩黨互相爭鬥，致使國家遭受了巨大的政治和經濟損失。而在內閣制下，一旦行政和立法兩方發生衝突，其中一方必須做出改變。

　　女士們，先生們，鑒於以上分析，要想讓一個國家按照大眾的意願運轉，中華民國必須實行內閣制。

8　倫納德・伍德（1860-1927），共和黨人。1884年畢業於哈佛醫學院，1885年入伍，先後任職於菲律賓美國陸軍與古巴軍政府，曾擔任高級軍職，並被授予榮譽勳章。1920年參與總統選舉，初選落敗。

9　弗蘭克・洛登（Frank Lowden, 1861-1943），美國政治家，共和黨人。1885年畢業於愛荷華州立大學，1887年，伊利諾斯法學院研究生畢業，同年取得律師執照。1906-1911年，為伊利諾斯州國會代表，1917-1921年，為伊利諾斯州州長，1920年參與總統選舉，初選落敗。

10　海勒姆・詹森（Hiram Johnson, 1866-1945），美國進步主義與孤立主義政客。早期在律師事務所從事速記記者與速記員，1888年取得律師執照，其後從政。1912年，為進步黨創始人之一，並為該黨副主席候選人。1920年，以共和黨身份參與總統選舉，初選落敗，1917-1945年，為美國參議員。

11　沃倫・G・哈丁（1865-1923），生於俄亥俄州，1921-1923年任美國總統。哈丁在農村長大，先是當一個小報記者。1923年8月在任期間，哈丁決定做一次橫跨全國的「諒解旅行」，後在途中去世。

12　潘恩霖此處可能是指一戰期間德國突然襲擊美國非武裝船隻事件。

　　下面，我想說明只有內閣制才能確保為政府選出最優秀的領導成員。

　　按照 Reinsch 教授（曾任中華民國政府顧問）[13]的說法，總統掌握了國家諸多要害，但總統制卻無法確保選出能力突出、稱職的總統。當某一政黨提名總統候選人時，他絕不會提名該政黨最優秀的人，除非這個人能吸納更多的在野黨。比如哈丁在共和黨裏默默無聞，Cox[14]也不是出色的民主黨人士。事實上那些經驗豐富、久經考驗的政治家們鮮有被提名的。同樣的，各政黨提名副總統候選人時，也是選那些相對較不突出，能力稍差的人，但羅斯福是個特例。所以說，總統制下，有關總統繼任人（突發情況除外）的一些規定是存在欠缺的，而我們有實力的對手則認為這樣更安全。

　　在內閣制下，推翻一個不受歡迎的內閣政府相對廢除一個不受歡迎的總統制下總統要容易的多。因為總統有固定的任期，所以不管他都做了什麼，民眾是否喜歡他，法律會確保他的總統寶座，而不是政績。再者，請允許我重複我的同伴剛使用的資料，即關於總統和議會對峙的年限。美國內戰（1861-1865）後，共和黨完全操控政府，直到一八七七年。從那以後，他們的控制權受到牽制。

　　事實上，過去的四十四年裏，大部分時間總統並未獲得多數國會議員的支持，有十四年甚至沒有參議院的支持。沒有反對黨的贊成，

---

13 芮恩施（Paul Samuel Reinsch, 1869-1923），美國學者、外交官，美國當時著名的遠東事務權威之一。1898-1913年，任威斯康辛大學政治學教授，1913年出任美國駐華公使。1919年辭職後受聘為北洋政府法律顧問。1920-1922年又兩次來華。後死於上海。著有《遠東的知識和政治潮流》、《公共國際聯盟》、《平民政治的基本原理》以及其它一些政治學和法學著作。

14 詹姆斯‧米德爾頓‧考克斯（James Middleton Cox, 1870-1957），美國政治家，民主黨人，曾任美國眾議院議員（1909-1913）和俄亥俄州州長（1913-1915、1917-1921）。考克斯是1920年美國總統選舉民主黨候選人，敗給共和黨的哈丁。

總統就無任命權，也不能和別的國家締結合約。這表明總統和民眾有分歧就會引發僵局。在內閣制中，內閣內部成員組合和議會相仿。反方會說，這樣一來，內閣和議會成員會共同腐敗，實行暴政，民不聊生。我認為這樣的情況不會發生，因為議會成員有固定的任期，而且任期比總統的要短得多。在美國，三分之一的參議員和所有的眾議員每兩年重選一次，因此，內閣制下民眾至少更有機會表達其意願。

而且，一旦發生危機，需要人臨時主持事務時，我們不能越過總統去選更能應對突發情況的人。一切都很僵化，缺乏彈性和靈活性。一旦選定這個政府，在任何情況下，你就只能聽之任之。Buchanan[15]任總統時，唯一能阻止內戰的是行政活力以及總統的雷厲風行，但他無一具備，一直按兵不動，最終內戰爆發，而民眾卻無法罷黜他。在內閣制下，這樣的狀況很容易避免。Crimean 戰爭[16]時，Aberdean[17]內閣被倒閣，不是因為其不好，而是因為其無法應對這場戰爭。所以說內閣政府能適應形勢的變化。

女士們，先生們，（現在）請允許我作總結陳辭：內閣政府高效，因為各部門分工協作，責任分明。總統制下三權鼎立，以犧牲統一性和協作性為代價。一旦總統和議會之間發生分歧，就會出現要麼總統一人獨裁，要麼雙方發生僵局。內閣制下，有充分的分權；內閣

---

15 布坎南（James Buchanan, 1791-1868），生於賓西法尼亞州，是1857-1861年間的美國總統。卸任後林肯繼任，布坎南則回到賓西法尼亞，不久內戰爆發。

16 即克里米亞戰爭，是1853年至1856年間在歐洲爆發的一場戰爭，作戰的一方是俄羅斯，另一方是奧斯曼帝國、法國、英國，後來皮德蒙特薩丁尼亞也加入了這一方。一開始它被稱為第七次俄土戰爭，但因為其最長和最重要的戰役都在克里米亞半島上，後來被稱為克里米亞戰爭。

17 喬治‧漢密爾頓戈登，第四代亞伯丁伯爵（George Hamilton-Gordon, 4th Earl of Aberdeen, 1784-1860），英國首相（任期1852-1855年）。11歲成為孤兒。1828-1830年和1841-1846年出任英國外相，後組成聯合內閣，但因優柔寡斷阻礙了和談效力，導致英國捲入克里米亞戰爭。1855年引咎辭職。

制下，民眾更能持續有效地表達其意願，更能選拔稱職的人打理政事。基於以上原因，我們正方強烈建議中華民國採納內閣制。

改進家庭體制為新婚夫婦建立獨立家庭創造條件（一）[1]

吳乃衍

　　華東師範大學圖書館館藏、英文版《滬江大學月刊》第十一卷第四～五合期（1922年56月合刊）頁十五～二十七收錄了一九二二年四月在上海舉行的華東校際英語辯論賽決賽的辯論稿。決賽雙方是滬江大學和金陵大學，辯題為〈Resolved that the Family System in China should be so modified that Marriage would ordinarily lead to founding of Independent Home by the Newly Wedded Pair〉（改進家庭體制　為新婚夫婦建立獨立家庭創造條件）。此次，滬江大學是正方，代表滬江出戰的仍然是吳乃衍、張四維、潘恩霖這個金牌組合。不過，此戰他們卻意外失手，屈居亞軍。

　　尊敬的主席、評委，女士們，先生們，你們好！

　　今晚我想請大家關注一個極其重要的問題。這個問題自從西方文明引入以來已引起我們社會改革家的關注。該問題即：中國的家庭體制是否應該修正以便新婚夫婦能正常地組建一個獨立的家庭。

　　為了更好地理解該問題，請允許我援引西方的實踐給「獨立家

1　本文由上海海洋大學教師袁慧翻譯。

庭」這個術語下一個準確的定義。我們認為，「獨立家庭」指的是一個家完全由新婚夫婦擁有、控制，而且不管安置於何處，實行完全的自我管理。父母可以提議，但是否採納建議完全取決於年輕夫婦自己。至於他們所有財產的關係，即父親擁有的歸父親所有，兒子擁有的歸兒子所有。他們擁有的財產有權受法律保護，但對他人的財產沒有發言權。但這並不意味著，新婚夫婦和他們出生的家庭斷絕所有的社會關係。每當需要時，他們仍然對血緣親情負有義務，互相幫助。

另一方面，正如 Dr. J. J. M[2]在有關中國宗教體系的第二卷所說的那樣，「在中國，這是一種規則： 兒子婚後依然住在父母家中，或者至少在鄰處擇一寓所而居，這被認為是對原有家庭的依附，在原有家庭裏佔有一席之地。」所以，顯而易見，這樣的家庭體制，正如它在中國大多數家庭盛行的那樣，並沒有預期或計劃成立獨立的家庭。相反地，它把新婚夫婦的家當成丈夫父母家的附屬物。

今晚，我們正方探討的不僅是改善家庭表面佈局所帶來的實際的方便，更是要探討家庭體制中的基本改變。對於新家的身份，我們提倡全面的改變——全面改變當事人的想法。對於賦予新家新身份，我們提倡更全面地認同新婚夫婦的權利和義務。

首先，我們正方認為，獨立的家庭是必要的，因為它保障新婚夫婦的財產權利，積極地鼓勵新婚夫婦努力工作。眾所週知，婚姻的行為即是兩個人類個體神聖的結合，無論生病還是健康，無論貧窮還是富裕，無論現在還是將來，他們將緊緊地聯繫在一起。如此徹底地把

---

2 J. J. M. de. Groot（1854-1921），漢譯名高延或德格如特，畢業于萊頓大學，後被派往廈門、爪哇等地，在荷蘭殖民政府任中文翻譯6年，同時從事漢學研究，是歐洲最早研究中國宗教的荷蘭人。1890年回國後，被聘為萊頓大學研究荷屬東印度群島民族學教授，後轉任中國語言文學教授。1912年接受德國柏林大學漢學講座教授一職。高延的代表著作是《中國宗教體系》（The Religious System of China）（1892）六卷本。

自己交給對方就意味著衍生出彼此對生命負責的強制性義務。為了保證履行責任，年輕夫婦有權擁有和控制財產。然而，中國的家庭體制沒有賦予年輕夫婦這樣的權利，財政權仍然掌握在家長中。丈夫所認為的病中妻子的必需品，而他的父親或兄長卻有可能認為是奢侈的消費品。這樣的困境在獨立的家庭裏是不會出現的，因為新婚夫婦可以控制自己生活資料的必要來源。因此，要保障財產權。

再者，在中國的家庭體制下，家庭收支是共同經營的。所有的收入都納入共同利益，所有的花費都從一個共有的錢包中支出。兒子們，即使不努力工作，也可以從大家庭中為妻兒領到足夠的麵包；而且他們知道即使他們努力工作，獲得的收入在多方分割後，實際上，他們只能得到自己收入的一小部分。所以就有兒子們懶散、懶惰的危險趨勢。

一個海外歸來的學子曾經一度失業，因為他闊綽的父親以兒子為榮，以至於不願兒子去掙每月不足一百五十元的薪水。不從事任何工作，他一樣可以生活；倚仗父親的產業，他可以遊手好閒。女士們，先生們，這就是在中國家庭體制下，一個有工作潛力的生產者如何成為真正寄生蟲的成千例子中的一個。

在獨立的家庭體制下，這樣的寄生蟲是容易變成生產者的。年輕夫婦有責任供養自己和子女。他們沒有其它人可以依靠，其它人也不需要依靠他們。他們負責掙得所有的收入和管理所有的花費，其它人無權控制他們的財產。在這樣的責任重壓以及個人利益的驅使下，他們的活力和抱負都被極大地激發。因此，我們得出結論，獨立的家庭不僅對保障財產權是必須的，而且可以充分地鼓勵財富積纍。因此，它是唯一能帶來經濟獨立的優越模式。

第二，我們正方認為，獨立家庭的必要性在於它可以通過解放媳婦受婆婆的束縛來確定新媳婦在家中的合法地位。中國的家庭體制要

求新娘放棄她的所有權利,屈服於婆婆的權威。羅斯博士（E. A. Ross）[3]在他的〈正在變革的中國〉裏提到,「對一個中國新娘來說,她的婆婆說一不二。婚後,她完全成為這個婦人的奴隸,而她的丈夫卻不敢為她說一句話。」

由於缺少真正的血緣關係,婆婆經常濫用她的權威。婆婆曾經為她的婆婆所奴役過,她期待兒媳婦也能為她服務。由此,婆婆對年輕的兒媳婦好髮指令,殘忍對待。如此虐待的結果就是,我們聽到了許多妻子不幸自殺的消息,她們或是吸鴉片,或是吞金,或是絕食,或是溺死,或是上弔,或是以其它方式結束自己的生命。

再者,我們注意到,當新婚的妻子不幸亡夫時,她的個人權利被進一步地否認。根據中國家庭體制,一個寡婦被看作是她丈夫家庭的財產。她無權再婚或是搬到他處,除非獲得她公婆的完全認可。但是,如果公婆生活不濟,他們通常堅持媳婦再嫁,這樣他們可獲得一筆彩禮收入。這就是公婆的所作所為,而不顧他們兒媳的想法。

女士們,先生們,如果這個世界上還有一點人性光芒的話,那麼沒有理由要讓一個人完全屈服於另一個人的統治。假若你是處在兒媳婦的位置上,你願意過這樣悲慘的生活嗎?你願意被迫自殺嗎?不,肯定不願意。那麼,我們為什麼不能改變造成這種情況的體制呢?

我們今晚所提議的獨立家庭體制,新婚夫婦擺脫了父母的權威,對自己的新家有完全控制權。所以,婆婆不可能對年輕的媳婦實行暴

---

3 羅斯（Edward Alsworth Ross, 1866-1951）,美國著名社會學家。1866年12月生於伊利諾斯州。1886年畢業於愛荷華州的寇伊學院。1891年獲得約翰霍普金斯大學政治經濟學博士學位。1893-1900年任職於斯坦福大學,期間因反對用中國勞工修築鐵路與學校發生激烈爭執,離開斯坦福大學。1901年後,羅斯先後任職于內布拉斯加大學、威斯康辛大學,將學術重點轉移至社會學,著有《社會控制論》（Social Control）、《正在變革的中國》（The Changing Chinese）等,成為美國社會學領域的重要一員。1914-1915年任美國社會學協會第五任主席。

政，寡婦完全有權自我做主，自我約束，追求更好的生活（指再嫁），而不受眾多的親戚的阻擾。因此，她個人的權利可以得到很好的保護。

　　女士們，先生們，因為獨立家庭體制是一種經濟上獨立的優越體制，因為它是把婦女從奴隸身份中解放出來的唯一辦法。當然，還有其它原因我方隊員將進一步闡述。總之，提倡採納這種體制是我們正方的共識。

改進家庭體制為新婚夫婦建立獨立家庭創造條件（二）[1]

張四維

尊敬的主席、評委，女士們，先生們，你們好！

我的隊友已經闡述了獨立家庭體制對於保障新婚夫婦私人財產權，對於激發他們積纍財富的熱情和雄心的必要性。他同時也闡述了獨立家庭的必要性還在於保障寡婦改變居所的權利[2]，維護家庭主婦掌管自己家庭的自由——這是幾個世紀以來中國婦女渴望的自由。

作為正方二辯，我很榮幸能夠進一步闡述獨立家庭體制的優點。我方認為的第三點理由是，對於保障新婚夫婦以自己的方式撫養子女的權力方面，獨立家庭是必要的。父母和子女之間是什麼樣的關係呢？母親冒著生命危險生下的孩子是父母的心頭肉。自從父母開始孕育一個新生命，他們的首要責任之一即是教育孩子。其它人對這些孩子不論多麼關注，也沒有權力指揮新父母如何教育自己的孩子。但是在中國舊的家庭體制下，正如我的隊友指出的那樣，婆婆有絕對的權力指揮初為父母的年輕夫婦如何養育孩子。依照中國的風俗，當新媳婦生下孩子，孩子的成長由不了她，反而是婆婆說了算。羅斯博士在他的《正在變革的中國》裏提到，聰明的女孩是多麼害怕嫁入中國舊

1　本文由上海海洋大學教師袁慧翻譯。

2　指婦女再嫁。

式家庭，擔心要麼孩子誤食毒藥失去性命，要麼在無知、愚昧的婆婆支配下孩子撫養不當。所有人必須承認，中國的家庭體制嚴重地干涉了新婚夫婦的權利，這種狀況必須改變。我們正方認為，對於保障新婚夫婦擁有上帝所賜的權利以及享受權利，建立獨立家庭體制是必要的。當然允許新婚夫婦以自己的方式履行屬於自己的責任。

第四，我方認為獨立類型的家庭比舊式家庭好，因為它讓年輕人更易適應不斷變化的社會環境。曾有一段時期，中國人把自己的生活主要禁錮於長城之內。但今天這樣的情況不見了。中國已經向外來文明敞開大門。外來文明帶來了自己的工廠和學校，裏面擠滿了我們的年輕人。我們的經濟和精神生活都在經歷著迅猛的變化。我們的年輕人正在學校裏學習，準備迎接這些新變化。但我們的祖父祖母沒有邁進學校，他們所適應的仍是早些年的狀況。雖然已經不再為生活積極奮鬥了，他們仍然認為舊的生活方式最好。這是很自然的，因為他們無法理解子孫們面對的新挑戰。然而他們自然而然地把舊的生活方式強加給新的一代。這對年輕人是不公平的，因為正是他們自己必須適應新要求。我們不是說年輕人應該完全擯棄前輩積纍的智慧。在獨立家庭裏，他的父母會提出忠告。他的父母仍然積極地在生活，也面臨、抗爭著年輕人遇到的困難。正是祖父母的權威支配著整個家庭體制，至今盛行。我們正方反對這種家庭體制，而我們論辯中所定義的獨立家庭體制可以打破這種權威。

還有另一種原因促使我們提倡獨立家庭體制，這就是我們正方認為的第五點必要性，即獨立家庭可以讓新夫婦把情感集中於彼此及自己的子女身上。根據中國的家庭體制，當新娘到達夫家，他們共飲新婚喜酒，跪拜父母，表達對婆家全體生死不渝的忠誠。由此，只要他們能力所及，對婆家每一成員忠心服務就成了他們的責任。這自然要求他們把自己的情感和服務分配到家裏的每個成員。我們正方主張和

此完全不同的一項計劃。我們認為新婚夫婦的主要義務在於對彼此以及上帝賜予的任何孩子負責。正是為了有效地履行這項主要義務，我們正方提倡獨立家庭。在此之下，父母努力工作不是為了「大家」，而是自己和孩子的「小家」。因此，在獨立家庭裏孩子逐漸理解正是為了他們，母親犧牲自己，父親辛苦工作。感激之情在孩子的心中喚起，逐漸演變成對父母個人的親切之愛。這不再僅僅是在大家族之下對長者的禮節性表達，這也不再僅僅是對那些從未為自己出生遭受痛苦或是替自己辛苦勞作之人的口頭應酬，但這是對自己父母個人的濃濃深情，溫馨摯愛。正是父母有權享此摯愛，因為他們為了孩子犧牲最多。

女士們、先生們，難道我們不應嘗試擺脫婆婆的支配嗎？這樣的支配通常是無知、愚昧，因此是不明智，不利的——這樣的支配總是剝奪年青父母以自己方式撫養自己孩子的天經地義的權力。

現在讓我們替這些年輕人想一下吧。他們已經足夠年長，可以為自己考慮了。難道我們不應該嘗試把他們從祖父母對第三代乃至第四代的束縛中擺脫出來嗎？——這樣的束縛讓他們無法過自己的生活，無法達到自己時代的新要求。

再者，女士們，先生們，難道我們不應該嘗試打破舊觀念嗎？這樣的舊觀念允許父母忽視對自己後代的主要責任，但卻要對家族已逝或在世的每一位誓守忠心。

總而言之，允許我總結我方的觀點：

獨立家庭使新媳婦擺脫婆婆的奴役；保證新婚夫婦的財產權；確保父母以自己的方式撫養孩子的權力；能夠讓父母把愛集中在自己的子女身上，從而贏得子女的感激以及更強烈的個人摯愛；而且，當這些孩子長大成人，不得不去面對新時代的新要求時，獨立家庭裏的孩子可以不受從未經歷過此問題的長輩的束縛。

改進家庭體制為新婚夫婦建立獨立家庭創造條件（三）[1]

潘恩霖

尊敬的主席、評委，女士們，先生們，你們好！

辯論至此，請讓我提醒大家我方所有觀點背後的假設，即對兩種體制相對價值的檢驗。我們認為，是否服務於個性發展即是對每一種社會體制的檢驗，也就是說，是否保護個人權利的同時又促進個人履行社會責任。

反方的一辯和二辯已經論證過保留目前體制帶來的表面性便利，但是卻完全忽視獨立家庭帶來的本質性優越。

我方隊友已經向我們闡述獨立家庭的必要性。首先，它保障新婚夫婦擁有自己私人財產的權利；第二，大大地激發新婚夫婦的雄心和熱情；第三，讓媳婦擺脫婆婆的支配；第四，讓年青父母以自己的方式撫養孩子；第五，讓年輕人適應不斷發展的社會需要；最後，它形成了更高類型的家庭情感模式，也就是，基於感激奉獻而不是懼怕權威的情感模式。

我的隊友這些論點一直隱含了改進中國舊家庭體制的需求。現在讓我們考慮一下哪些方面的改進是必要的，這樣婚姻就意味著正常地建立一個獨立家庭。

1　本文由上海海洋大學教師袁慧翻譯。

我們正方建議的第一個改進就是允許每一個正常的年輕人，不論男人或女人，都有權自由選擇自己願意交付一生的對象。

女士們、先生們，結婚不是簡單的結合；它不是僅僅滿足性愛後，而不認同對彼此的進一步責任。相反地，正如我的隊友所說，在婚姻裏兩個生命彼此交給對方，一生一世地彼此守候。那麼，每個承擔這樣永久責任的人應該有自由權選擇自己為之奉獻一生的對象。

如此神聖的個人權利，當今中國普遍實行的體制卻長期以來一直忽視。穆麟德博士（Dr.Mollendorf）在他所著的《中國家法》[2]裏比較了羅馬和中國的婚姻體制，提到「在羅馬，丈夫和妻子有權自由選擇對方，雖然必須徵得家中父親同意。」他繼續提到，「在中國，家長們單方面決定，卻從不徵求當事雙方的意願」。因此，我們正方認為在這點上，中國的家庭體制必須要更正，這樣才能讓每一個思維健全的人自由選擇自己的婚姻對象。

但為了保障自由選擇的神聖權利，有必要給年輕人機會，在結婚前相互結識。只有在這樣的基礎上，選擇的結果才有可能不輕率。因為他們肯定有機會在對方身上發現他們無法在他人身上發現的最值得欽佩的優良品質。那時，也只有在那時他們會願意付出永遠擁有對方的代價，也就是完全毫無保留的奉獻。

這樣的奉獻自然成了新婚夫婦獨一無二的婚姻裏的第一步。沒人

---

2 穆麟德（Paul Georg von Möllendorff, 1847-1901），德國語言學家、外交家。1865年入霍爾大學，主修法律、東方學、哲學，對古典語言與外國語言有極強的天賦。1869年，中斷學業，前往中國加入上海的德國海關部門，其後調往漢口，期間掌握中文。1874年，入德國領事局任翻譯，後升任德國駐天津副領事。1882年，李鴻章推薦其為朝鮮政府顧問，成為朝鮮政府的重要官員，1888年離任。1896-1897年，為皇家亞洲協會中國分會會長。因為朝鮮國王顧問及其對漢學的貢獻，同時創造了一個滿族語羅馬化的系統，穆麟德廣為世人所知。他的《中國家法》（The family law of the Chinese）是一本關於人類學與社會學的著作，1896年在上海出版。

願意再次複製他們相互吸引對方的優秀品質和性情。讓他們走到一起，結合成一個整體的吸引力自然使他們排斥他人，導致他們願意遠離他人，厭惡他人的干涉。這樣的意願如此強烈，以至於新婚夫婦一旦不滿舊式中國家庭，即會組建自己獨立的家。

我們正方建議的第二個改進是在子女結婚時就解決他們的財產繼承問題。舊式的家庭下，父親掌控全家財產，要求新婚夫婦服務父母的家庭直到丈夫的父親去世。我們想問，丈夫的父親起初有什麼權力控制家庭的任何財產？整場辯論，我們一直假設父親的權力來源於父親履行至死的責任——養家，包括自己以及他的妻子或他的子女那樣自願屈服於他的人。因此，他有權牢牢地掌控養活全家的財產。

讓我們把財產控制原則運用到家庭的財產上。不論多少，父親代替他的妻子和每一個子女掌握一部分財產。在中國的舊式體制下，兒子在父親去世時獲得自己的一份財產。這點上，我們正方提議的唯一財產方面的改進是一個家庭應該在兒子成婚之時解除資助兒子的義務，這樣他才能承擔起養活自己和妻子的責任。他的父母當然應該保留自己財產權益直到去世，而每一個未婚的兄弟姐妹的財產權益保留至結婚時，之後再承擔起養活自己家的責任。這樣的安排公平地照顧到丈夫父母家裏的每一個成員。

那麼妻子呢？她自己以及她可能生下的每一個孩子的生活必須要有來源。因此我們認為她一樣有權從自己的父母家中繼承到財產。

通過這樣一個公正的繼承法，每個人在結婚時都有權從父母家中繼承一份財產。這就產生了兩份財產用以組建每個獨立家庭。反方辯友提出了這樣的問題，即如果雙方父母根本沒財產，該怎麼辦？那麼，當然，每個人不得不工作。這和舊式的體制下要做的一模一樣。所以我們認為有了對上述可能性的修正，至少是可以安然無恙地像其它方式那樣組建獨立家庭。

至此，我已經向大家完成這樣的陳述：為了滿意地創建獨立家庭體制，我們需要對中國舊式家庭做兩個基本的改進，即是賦予自由選擇婚姻對象的權力以及兒子結婚時解決他財產繼承問題。

女士們，先生們，在中國舊式家庭體制下，年輕夫婦無權控制自己的財產，因此容易變得遊手好閒，四體不勤。獨立家庭體制完全認可他們的財產權，為鼓勵他們熱情工作提供了強大的動力。舊式家庭把媳婦處於婆婆的完全控制之下，然而獨立家庭卻使媳婦不受婆婆的奴役。舊式家庭過於干涉孩子的撫養，而獨立家庭讓父母在這件事情上擺脫自上而下的命令。舊式家庭讓年輕人愚蠢地墨守成規，但獨立家庭體制卻讓他們自由地適應現代社會。舊式體制忽視所有當事者的權責，導致家庭的不幸，把家庭變成活生生的地獄，而真正的家庭幸福存在於獨立家庭裏，家庭的不同成員間形成了真正的內部情感。現在，廣袤的田野上一片黑暗，為了點亮光明，我們正方提議──就如我們從《舊約全書》中所知道的那樣──男人應該脫離父母，和妻子站在一起。

西方工業主義的到來
對中國利大於弊（一）[1]

吳乃衍

　　一九二二年十二月十四日晚八時，由吳乃衍、張四維、潘恩霖三人組成的滬江大學辯論隊（反方）戰勝金陵大學辯論隊（正方）。辯題是〈Resolved that the Coming of Western Industrialism is likely to do more harm than good to China〉（西方工業主義的到來對中國利大於弊）。

　　中文版《滬江大學月刊》第十二卷第二期頁六十九「滬江春秋」有這樣的記載——「辯論志雄」：泰西實業主義於中國害多利少。辯論中，雙方均持之有故，言之成理，而本校選手勝辯縣縣，大言炎炎，英語之純熟，態度之漂亮，遠非金陵之所能及也。其結果為三與零之比，本校全勝！就當時國內形勢而言，這個辯題很有現實意義，所以本書予以收錄。也就在這一天，聖約翰大學和之江大學的比賽結束，之江大學辯論隊勝出。這樣，滬江大學就將和之江大學角逐一九二二～一九二三年的辯論冠軍。

　　華東師範大學圖書館館藏、英文版《滬江大學月刊》第十二卷第二期（1923年1月出版）頁二十六在校園新聞中有這樣的記載——校際辯論，大意和中文版的記載相吻合：

---

[1]　本文由上海海洋大學教師杜義美、上海理工大學研究生王琰翻譯。

　　十二月十四日在滬江大學舉行的校際辯論聯賽初賽中，校辯論隊
戰勝了金陵大學。辯題為：〈西方工業主義的到來對中國弊大於利〉。
正方為金陵大學，反方為滬江大學。主持人為 Dr. John Y. Lee[2]，評委
有 Messrs Jabin Hsu[3]，A. N. Rowland（羅蘭），W. W. Lockwood[4]。滬
江大學代表隊隊員有吳乃衍、張四維、潘恩霖。去年的辯論賽也同樣
由這幾位隊員擔當。在去年的比賽中他們取得了豐富的實戰經驗。因
此，在今晚的比賽中，由於選手們充分的準備，向我們展示了自己雄
厚的實力，卓越的口才，縝密的邏輯。另據報導，今晚聖約翰大學辯
論隊輸給了之江大學隊。所以，在一九二二～一九二三年校際辯論錦
標賽的決賽中，我們將對陣之江大學隊[5]。

　　原文刊載於華東師範大學圖書館館藏一九二三年一月出版的英文
版《滬江大學月刊》第十二卷第二期。

　　主席先生，尊敬的評委，女士們，先生們：

　　請允許我簡單地解釋一下我方對於「西方工業主義」這一術語的
理解。「西方工業主義」指一種工業體系，這套體系包括電動機械的
引進，以及資本與大型企業裏從事規模生產的產業工人們共同構成的
結合體。

　　在理解了今晚的辯論主題後，正方認為：現代工業主義的到來對
中國弊大於利。為了支持這一觀點，他們一直想證明現代工業主義對

2　即約翰‧Y‧李博士，參見前文〈向製造大國前進〉。

3　梅瑟‧傑賓遜（Messrs Jabin Hsu），上海英文報紙《大陸報》雇請的精通外語的
　　記者。

4　駱維廉（Lockwood, William Wirt, 1877-1936），美國人，曾任上海基督教青年會幹
　　事、副總幹事。

5　後來滬江大學戰勝之江大學奪得冠軍。參見下文〈一定條件下戰爭的合理性與必要
　　性〉。

中國的危害之大足以讓我們把它徹底排除出中國，他們也想向我們提供一種比新工業體制更好的方法，來發展和利用中國豐富的自然資源。

誠然，在某種程度上，現代工業主義的到來將會替代我國的手工業體系。在手工業體系中，生產活動是在作坊和小車間裏進行的，生產工人為自己工作或受雇於社會階層並不比自己高多少的老闆們。在生產工具的擁有權及產品的銷售上，工人是自由和獨立的。對其優勢，我方既認可又讚賞，想保留其優勢的迫切之情一點也不亞於正方。但為了得到更好的東西，我們不得不學會放棄。換言之，為了獲得現代工業主義所帶來的大利益，我們必須犧牲手工業體系的某些優勢。

另外，我方也承認現代工業主義確實存在著一些弊端，對此，我們和對方辯友一樣，要毫不留情地加以痛斥。但我方認為這些弊端只是暫時的，遠遠比不上現代工業主義所帶來的永久利益。理查·伊利教授[6]在他的《工業社會的進化》一書中用一句話總結了我方的觀點：「毫無疑問，工業體系的優勢完全可能彌補它的弊端，而且其發展前景無限。」的確，在工業發展的初期，我們會犯一些錯誤，但這些錯誤不會持續下去。而它所帶來的好處是永恆的，比如社會財富的增加，自然資源的開發與利用，等等。

在深入討論之前，我提請正方辯友避免陷入以下兩種曲解。第一，我方支持現代工業主義，但最終目的並不是追求財富，只是把它作為一種實現更高目的的途徑。我們需要財富來發展國民教育，讓大

6　理查·伊利（Richard T. Ely, 1854-1943），美國經濟學家，他的經濟研究偏向政治，為20世紀政治經濟學的巨擘。1876年，伊利自美國哥倫比亞大學畢業後，前往德國留學，1879年，獲得海德堡大學哲學博士學位。他不但是美國政治經濟學的理論創始人，關心勞工運動、農業運動的他，也創建了美國經濟協會、美國勞動立法協會、美國農業立法協會等。

部分中國人民過上安樂、幸福和滿意的生活，更為了實現遠大的抱負以保障這樣的幸福生活。

第二，請注意我方並不主張對我國的工業體系採取快速、激進的變革，因為這樣必然會導致混亂。我方所支持的是一種緩慢、漸進的變革，既安全又有利。中國已經進行了大約五十年的變革[7]，但手工業體系至今還沒有被完全取代。所以，我方所提倡的變革是漸進式的，能夠讓整個國家有充足的時間去適應和調整。

此外，中國不是第一個，也不是唯一一個打開大門迎接現代工業主義的國家。有大量其它國家的寶貴經驗可供我國吸取。我們已經經歷了新工業體系的產生和發展過程，也目睹它所經歷的各種各樣的嘗試，我們有能力預測其不足之處，也有能力採取補救措施。丁尼生[8]說過：「在飛速流逝的時間面前，我們都是時代的子孫。」因此，隨著現代工業主義的引入，我們要做好準備，學習西方國家的經驗，避免他們所犯的錯誤。

如果拿西方國家工業革命之前的狀況和目前的狀況作比較，我們一定會堅信現代工業主義是提高人民生活水準，擴大生產，促進大型工業城市發展，促進貿易，增強國力的主要動因。就拿英國來說吧，在一七九〇～一九〇〇年間，它的國土面積還不及中國的一個省，但每年可出借給其它國家十億美元，現在，它已位居世界列強之一。為什麼英國會變得如此之強大？毫無疑問，是因為它與其它國家有著廣泛的貿易往來。但是，如果英國的工廠不能生產出大量產品以滿足世

7　這場辯論的時間是在1922年12月14日。吳乃衍在辯論中反覆提到50年，應該是指洋務運動以來的50年。

8　丁尼生（Alfred Tennyson Baron, 1809-1892），英國19世紀的著名詩人，生於林肯郡，出身牧師家庭，肄業於劍橋大學。主要作品有詩集《悼念集》、獨白詩劇《莫德》、長詩《國王敘事詩》等。

界範圍巨大需求的話，它能進行如此大規模的貿易活動嗎？當然不可能。正是現代工業主義把英國打造成為一個強大而繁榮的國家。

　　現在，讓我們把注意力轉到中國，看看從現代工業主義進入到現在為止，對我國到底是利大於弊還是弊大於利。從貿易統計數字可以看出，一八六四～一九一八年間，我國的出口量已增長了九倍。由於採用了現代機械，煤炭的年產量估計已經達到了一千九百萬噸。五十年前，人們出行時只能靠走路，乘馬車或乘船；但現在，人們可以乘火車，坐輪船，乘汽車，大大提高了效率和速度。五十年前，人們用菜油燈照明，而現在已用上了電燈。女士們，先生們，現代工業為我們做出了多麼顯著的貢獻呀！如果我們立足於現代工業，向著共同的目標，眼往一處看，勁往一處使，我們一定會提高國民的整體生活狀況，那時就沒有人會懷疑這點了：中國擁有取之不盡的自然資源，在不久的將來，她一定會崛起，成為世界最強國之一。

　　二十世紀是國與國之間工業競爭的世紀。假如一個國家在工業生產效率上輸給其它國家，那麼它必然處於落後地位。所以，不要再忽視現代工業主義的優勢了，借助它來把我國建設為一個受人尊敬的強國吧。為了中國未來的繁榮昌盛，為了老百姓的幸福安寧，我方堅定地認為西方工業主義的到來對中國必然利大於弊。

西方工業主義的到來
對中國利大於弊（二）[1]

張四維

主席先生，尊敬的評委，女士們，先生們：

剛才，我方辯友已向大家證明了現代工業主義對西方社會所作的貢獻，也說明了給目前中國所帶來的益處。

作為反方二辯，請允許我繼續向大家詳細地闡述一下現代工業主義的應用所帶來的兩大方面的優勢：即引進了電動機械，開發利用了豐富的自然資源。

首先考慮一下什麼是機械。機械就是對發明創造的應用，就是把科學應用於人們的實際需求。

首先，機械提高了產量，以確保人民生活必需品的充分供應。在德國，一九〇〇年鐵的產量提高到了一八七八年的五倍。在現代工業主義進入中國之前，雖然國內對煤炭的需求量很低，但煤炭的進口量卻是出口量的幾倍。相對來講，雖然目前只在很小程度上實現了機械化，煤炭的年產量就已提高到了一千九百萬噸，並且令世界震驚的是中國的出口量已大大超過了進口量。以前中國的麵粉主要由美國和日本供應，但由於八十多家麵粉廠引進了先進的生產機械，現在中國麵

1　本文由上海海洋大學教師杜義美、上海理工大學研究生王琰翻譯。

粉的出口量已達到了以前從美國的進口量。中國原料豐富，我們只需要先進的生產機械就能把這些原料轉換成人們所需的產品。

其次，對工人們來說，先進的生產機械，除了操作難這一缺點外，會逐步改善他們的工作條件。統計資料顯示，工人工資的提高和機械數量的增加是成正比的。聰明的工廠主們逐漸地認識到提高工人的工資是保證企業更加成功的最好方式。一百年前，西方國家大多數工人的收入只能勉強糊口，他們既沒有機會享受快樂舒適的家庭生活，更不能培養自己的精神追求，他們的孩子到了上學年齡也不能接受學校教育。出生在工人家庭的孩子，將來也只能像他父親一樣，成為一名工人。現在，由於機械化程度的提高，工人們的經濟狀況有了巨大的改變，他們的收入足可以讓他們過上舒適幸福的家庭生活，也能讓自己的子女接受正常的學校教育。再者，機械化也大大縮短了工人的工作時間。在家工作的人們無法控制工作時間，他們要麼無所事事，要麼因為經濟狀況窘迫而沒日沒夜地賣命，根本不顧身體的勞累和精神壓力。他們剛去工廠上班時，工作時間跟在家裏一樣。由於難以忍受太長的工作時間，他們不得不向工廠主們提出抗議。這樣他們終於有了盡情享受公共及社會生活的權利，這是一個多麼重大的進步啊！此外，機械化也使工人們不必再充當供奴役的牲口，也提高了工人對原材料的使用能力，讓工人成為其工作環境的主人。為了更加直觀，請看這幅圖片： 有幾個汗流浹背的苦力正在費力地拉著一輛滿載貨物的貨車，氣喘吁吁，面色蒼白，緩慢地前進著。好，再看另一幅圖片：一輛滿載貨物的大卡車快速地行駛著。這位穿著平常服裝的駕駛員看起來精神飽滿，容光煥發，車上的搬運工也是神氣活現。比較這兩幅圖，他們的反差太大了！他們的目的相同──都是運送貨

物，不同的是運載工具——一個靠人力，另一個使用機械[2]。

最後，從交通運輸這個層面來看，機械化使得產品得以廣泛流通，並能在災難發生時（比如颱風及莊稼減產），及時提供救濟，也有助於全中國人民的團結協作。我國西北地方的小麥產量達幾千萬蒲式耳（英美使用的體積或容量單位，用於度量乾燥固體：1蒲式耳＝2219.36立方英寸或36.37升）。不過，那個地區的農民別無選擇只能種植小麥。換句話說，他們小麥的擁有量再大，也不能過上更好的日子，同樣也不能給孩子提供受教育機會。原因顯而易見： 他們的糧食無法成功地打進華東市場，因為交通設施不夠發達。因此，有些地方的人吃不飽，而有的地方的人糧食又吃不完，只能用來餵養家畜，或白白浪費。為什麼會出現這樣的局面呢？因為缺乏運輸設施。

什麼是我們內心最難以忍受的傷痛？什麼是中華民國歷史上最悲慘的教訓？難道我們在問這些問題時不應該表現得很嚴肅嗎？中國四分五裂，歸根結底，其中的原因比我們日常所瞭解到的要深刻得多。有國家基本結構的原因，有重大利益缺失的原因，也有人民缺乏共同責任感的原因。四川離上海頗遠，故很少關注上海。同樣，昆明對北京也抱這樣的態度。正是這樣的情感和態度才造成了令人傷心的結果。現在我們終於意識到不能任由這樣的情況發展下去了。那怎麼治癒創傷呢？如何消除人們之間鬆散的關係呢？要是想建設一個團結和睦的大中國，我們就一定要宣導一種民族精神和共同責任感，最富有成效的方法之一就是要改善交通設施，把全國人民緊緊地聯繫在一起，把他們共同的利益和目的結合在一起，讓他們相互理解。歷史早已證明這是培養公眾情感的自然方法。現代工業主義的引進會改善交通方式，因為工業主義將與運輸業攜手並進。

2　編者按，原英文講稿中缺此二圖，無從查找。

現在，請把注意力轉到開發我國豐富自然資源的必要性上來。據統計，中國擁有豐富的自然寶藏，但大部分還深埋於地下。按丁文江（V. K. Ting）博士[3]的說法，中國的煤炭埋藏量之大，足可以再供給全世界至少一千年的用量。艾迪博士（Dr. Eddy）[4]最近說中國的煤炭蘊藏十分豐富。假如這些煤炭能得到很好的開發和利用，那麼中國的每一個孩子都能普遍享受教育，不用徵稅就有財力運行大大小小、國內國外的政府機構達一千年。我國幾乎每個省份都蘊藏有鐵礦石。黃河、珠江及長江湍急的水流完全可用來發電，給工廠提供電力。美國僅利用河流發電這一項每年就可節省至少幾千萬美元。最近，日本已經意識到水利資源所能帶來的益處。

女士們，先生們，當中國還這麼貧窮而弱小，人民還在忍饑挨餓之時，中國還能置其寶貴的礦藏資源於不顧嗎？當鄰國在享受水力資源帶來的好處之時，我們還忍心肆意浪費自然所賜予的珍貴水資源嗎？當然不能！我們怎麼依靠簡單的手工業體系來開發這些能源呢？有可能讓資本家個體來建立礦廠、水電站嗎？我們能用生銹的勞動工具去開山採礦嗎？能用簡單的木製水車——就是在當地農場見到的木製水車來開發水資源嗎？開採好礦產後，難道還要靠風力或人力驅動的破爛工具來運送它們嗎？或者用手推車？我們需要的是電力驅動的機械，更好更高效的運輸工具，以及資本的融合。所有這一切都需要引進現代工業主義，而這也是今晚正方一直反對的觀點。

3　丁文江（1887-1936），中國現代地質事業的創始人之一，地質學家。字在君，又字大君，常用筆名宗淹（取「宗法范仲淹」意）。出生於江蘇省泰興市黃橋鎮米巷的丁家花園（現新四軍黃橋戰役紀念館）。

4　艾迪（1871-1963），美國作家，傳教士，出生于堪薩斯州，曾擔任基督教青年會幹事，長期在亞洲及俄羅斯等地學生中傳教，1911年後數次來華，在香港、上海、杭州、漢口、太原等地傳教演說，講演範圍涉及「基督教與勞工問題」、「中國之缺點」、「解決中國所有困難之秘訣」等。

　　女士們，先生們，現在我們這一主張的優勢都已呈現在大家面前了。電動機械的引進、運輸工具的升級、中國人民的團結協作、自然資源的開發，這些都是非常緊急和必要的。這些就是引進現代工業主義的結果。

　　此外，我們堅持認為，所有人都知道和承認的物質優勢並不一定會降低中國人的道德水準和精神境界。我方辯友接下來將要就此進行詳細的詳述。

西方工業主義的到來
對中國利大於弊（三）[1]

潘恩霖

尊敬的主席、評委，女士們，先生們，你們好！

正方辯友一直在談論中國體面的文明及其為維持國民生活而作出的貢獻。我們反方對此並不否認，但那並不意味著中國就此能長久存續。當然，我們可以在有輪船乘時偏去選用帆船，寧願浪費資產也不願利用其為自己謀利。但是其它人卻不愚蠢，他們走在了我們的前面。他們的商業擴張到地球的每個角落，而我們的商品卻找不到買主。他們的孩子上高中、上大學，而我們的家人卻仍如原來一樣無知。

古老的文明擁有絢爛的過去，但卻不再擁有競爭力，也不再適應於現在。與世隔絕意味著遠離進步，而遠離進步則意味著落後。要想作為一個國家而存在，中國必須融入到世界這個大家庭中，並證明自己是其中一個有實力的成員。中國必須提升自己的工業實力，使其與別的國家處於同等水準，為國際大家庭做出自己的貢獻。為了實現產品共用來達到與其它國家的攜手並進，也為了與文明共進來維護和豐富我們的國民生活，我們反方一直在宣導引進現代工業主義。

此前我方辯友已向各位闡明，通過電力驅動機械的引進及由此帶

1　本文由上海海洋大學教師杜義美、上海理工大學研究生王琰翻譯。

來的產品總量的增加,現代工業主義給中國人民,特別是勞動人民,帶來了更高級別的繁榮和幸福。現代工業主義開發了國家的豐富自然資源,改善了我們的運輸方式,這些都有助於國家的統一。正方辯友們卻在勸服大家把這些權利拒之於國門之外,而我們反方對此表示強烈的反對。我將努力向大家證明:現代工業主義不僅帶給中國物質上的進步,也刺激了國民生活中道德水準的提升。

首先,現代工業主義通過拓展人們的視野來發展人類的個性。小村莊的農民除了自家的農作物或鄰居們的生死,其它的事一無所知。實際上,他對國際市場的買賣一無所知,對科學發明的更新換代一竅不通,也不知大型機構是如何組織和管理的。但是,他的弟弟或兒子在城市裏工作,開火車或經營一家棉紡廠,他與文明大潮密切接觸。不論他是管理者還是勞動者,是老師抑或學生,他周圍的環境和工作性質定會開闊他的思維。所以說現代工業主義是一個教育性機構,培養了本世紀需要的人才。

其次,現代工業主義培養了人們的合作精神。在農村,人們勞動只是為了讓一家人有食物吃,有衣服穿,有房子住,跟鄰居們基本沒什麼來往;而在現代化的工廠裏,從事各項工作的工人們,消防隊員們,織機安裝工,管理者和記帳員們,為同一目的相互合作,互相依存。為了增產高效,他們必須彼此合作,學會相處的藝術,並要認識到奉獻是工業的第一要素,要努力工作為大家謀福利,絕非為一己私利。亨利‧福特為福特汽車公司開辦了一家設備良好的技術學校。尼赫(C.C. Neih)和張謇先生創辦的職業學校也標誌著已在中國啟蒙的產業人文關懷新紀元的到來。所以說現代工業主義通過把不同階層的人們集合在一起,共同合作,彼此依賴,以建立一種集體意識。

第三,現代工業主義也自然而然地為占工業人口大多數的勞動者們謀取了福利。當然,有些資本家根本不會考慮工人的利益,但公眾

意見逼迫他們這樣做，必要時，會動用司法力量。適當的時候，他們自己也會認識到提高工人待遇、縮短工作時間、改善醫療條件、提供衛生的工作環境和給他們受教育的機會等措施會大大提高產量，最終對他們自己有利。韓勵生（Agatha Harrison）[2]在《中華歸主》這本書中寫到公眾意見的增多會導致一些實際效果。例如，香港最近成立了一個委員會，對童工問題展開調查。根據其提出的建議，香港不久將設立相關法規。南部政府也在考慮其立法問題。這顯示雇主們開始注重對工人的人性關懷。大型工廠實行八小時工作制，無夜班制，不雇用童工，有醫療設施，為工人提供良好的工作條件，工資待遇合理。女士們，先生們，這不是夢中的理想，而是無處不在、每時每刻不斷湧現的真實情況。接下來會湧現出越來越多像海蘭姆（H.Y Moh）和尼赫（C.C. Neih）這樣的人物，他們終將發現改善工人待遇是一項明智之舉。

　　我們反方並不想讓你們相信目前的工作環境已經很令人滿意。但我們認為那些舊體制下的工人們的情況卻更加糟糕。我重申一遍，是更加糟糕！請不要認為現在的工人就是以前的雇主。我不是指以前就擁有很多農地和農具，現仍雇傭他人為其工作的人。我是指那些原來受人雇傭而現在在工廠裏工作的那些人。他們有通風良好的房子嗎？他們有營養豐富的食物嗎？他們能拿到高薪或得到滿意的待遇嗎？事實上，就那些學徒工而言，他們一分錢不拿地學習整三年，然後有四

2　韓勵生（Agatha Harrison, 1885-1954），倫敦經濟學院福利工作系教師、倫敦經濟學院社會經濟研究的組織人、和平主義者、聖雄甘地的朋友。1921年5月21日來到中國，任女青年會勞工幹事，1924年2月回國。「The Christian Occupation of China」中文版題名為《中華歸主》。本書英文版和中文版均問世於1922年。這部書是瞭解1921年前基督教在中國活動的重要資料，也是瞭解辛亥革命前後中國社會歷史的重要資料。

年左右時間拿極少的薪水去為雇主做大部分的事情。所以事實並不像對方辯友所描述得這般美好。

但是這些可憐的工人們不管待遇有多糟糕，都沒有機會去表達自己的不滿情緒。而只有在工業主義體制下，他們才有機會得以解放。正如我們提議各國家聯合起來對某些不願意這樣做的國家宣戰一樣，我們贊成讓工人們自發組織起來，有必要的話可以罷工的形式來逼迫雇主給予他們體面的待遇。事實上，資本家們會發現罷工對他們有百害而無一利，因此會作一些調整以避免罷工的發生。

尊敬的評委，正方辯友一直呼籲大家關注個人道德的發展，關注中國工人階級對幸福自由的美好嚮往。但今晚我們反方則提出一個更高級、更高尚的道德規劃。運用各種機械把工人們從繁瑣的勞動中解放出來，自己操作機械，成為開心又有技術的工廠主人；既要發展個體又要把自己當成這個合作社會中的一員，注重相互合作。我們需要借助這一明燈來照亮中國工業的發展之途，給中國帶來活力、健康和博愛。我們理想的新中國既要擺脫愚昧走向文明，又要讓其人民擺脫貧窮，過上富裕的生活，變得有智慧又通情達理，更要解放思想走向進步。最後也是最重要的一點：理想的新中國要能使中國人民從自私和與世隔絕中走向合作和博愛，由傷痛絕望走向幸福安康和滿足。總之，要保持和增強國家的完整性，保證中國在世界大家庭中找到其合適的位置。

一定條件下戰爭的合理性
與必要性（一）[1]

吳乃衍

一九二二年年底，在滬江大學辯論隊淘汰金陵大學辯論隊，之江大學辯論隊淘汰聖約翰大學辯論隊後，一九二三年四月，「華東教會四大學英語辯論會」決賽在之江大學（正方）與滬江大學（反方）之間舉行，辯論的主題為：戰爭不再是合理的。滬江大學辯論隊戰勝之江大學辯論隊奪標，全校一片歡騰，宣稱「由此使人們認識到所謂『滬江的水準遠比不上聖約翰』之說的荒謬」[2]。這次辯論賽的題目是：戰爭不再是合理的。為滬江大學贏得歷史性榮譽的仍然是吳乃衍、張四維、潘恩霖這三人組合。不過，這次他們不是正方，而是反方。《滬江大學月刊》以「校際英語辯論賽冠軍」為標題，對此做了熱情洋溢的介紹，並全文刊登了三位辯手的精彩講演。英文版《滬江大學月刊》同期頁十八校園新聞又以「校際辯論」為標題做了相關內容與背景的介紹。

中文版《滬江大學月刊》第十二卷第五期頁四十九「滬大最近要聞」介紹，四月二十日晚，我校與之江大學決英語辯論之雌雄於滬青

1 　本文由上海理工大學教師胡夢芹翻譯。
2 　1923年出版的《滬江大學年刊》。

年會殉道堂。到會之中西士女，非常踴躍。辯題為「戰爭不再是合理的」。結果為我校主反面者勝。於是一九二三年東方四大學英語雄辯會之錦標為我校張四維、吳乃衍、潘恩霖三君奪得而歸，斯會之榮譽銀爵遂置諸滬大唉。

原文載於華東師範大學圖書館館藏、英文版一九二三年五月《滬江大學月刊》第十二卷第四期頁六～十八。以下依次是三位辯手的演說稿。

主席先生，尊敬的評委，女士們，先生們：

今晚，我們相聚在此，是為了討論最重要也最關鍵的問題之一，即戰爭的問題。它吸引了全世界政治家、道德家們的關注。的確，戰爭問題的解決之道能實踐人類的希望，並帶給我們文明。這個問題既令人興奮又很迫切，更重要的是我們在討論這個問題時不能帶有個人的感情色彩。很顯然，我們必須鄭重其事地對待它，認真、耐心地找到一些解決之道。

對方辯手剛剛給我們描繪了戰爭的可怕之處，這點我方完全贊同。當然，戰爭耗費錢財，浪費精力甚至犧牲人的生命。它奪走了國家許多青壯年的生命，使人民災難重重，國家一片混亂。

我們反方絕不是主張可以以任何理由發動戰爭──儘管有些人認為戰爭確有其固有的優點，如通過競爭促進文明，發揚不怕死的精神，激發愛國熱情等。當然，這些都是可貴的。但是，戰爭往往也伴隨著難以估量的損失。因此，我們更願意通過與戰爭相當的道德層面上的東西來實踐以上目的。

所以，跟正方一樣，我們反方也反對戰爭的消極影響，渴望世界和平。但是，我們支持為阻止侵略、反抗壓迫、維護和平而發動的戰爭。有些時候，戰爭是防止事態更嚴重的最終手段，此時採取的戰爭

當然是有益的。阿德勒·菲力克斯[3]在他的《人生倫理學》書中曾經說過，如果沒有其它辦法阻止一個將要行兇的人實施犯罪，正確的方法就是將其殺死。所以為了保護自己，幫助危險中的他人，我們在必要時有權採取戰爭來消除邪惡。

讓我們仔細審視今晚的辯題，看看正方辯友今晚是如何證明其觀點的。首先，命題說：戰爭不再是合理的。正反辯友必須承認，「不再」這兩個字說明過去有些戰爭確實是有道理的，諸如美國的獨立戰爭、中國的革命戰爭、西班牙獨立戰爭[4]以及荷蘭的獨立戰爭[5]。根據所學的歷史知識，對方辯友承認，這些戰爭很殘酷，但戰爭所得遠高於戰爭帶來的災害。但是對方辯友一直想證明，世界文明的進步足以表明譴責戰爭是有道理的。他們斷言今後任何國家或民族將永遠不會有任何不當行為來破壞公共福利；戰爭將永遠不會像過去一樣，消除比其本身更大的罪惡；從現在起，將有別的更理想的辦法在不引起任何麻煩，或其它類似假定判斷的情況下，實現這一目標。我們要求他們對今晚的辯詞負責，並請他們提供這樣的保證。但是，他們能做到嗎？

3　阿德勒·菲力克斯（Adler Felix, 1851-1933），教育家和倫理運動發起人。生於德國，1856年隨全家移居美國，1870年畢業於哥倫比亞大學，後留學德國，1873年返美，任教於康奈爾大學。

4　即1808-1814年西班牙獨立戰爭。1807年，法國拿破崙一世進攻西班牙，1808年囚禁西班牙國王斐迪南七世，另立拿破崙一世之兄約瑟夫·波拿巴為西班牙國王。1808年，西班牙馬德里人民起義，反對法國佔領者，鬥爭很快蔓延到全國。1814年，西班牙軍隊攻入法國的波爾多，法軍要求停戰，撤出西班牙。拿破崙一世將扣押的斐迪南七世放回，標誌著歷時6年的西班牙獨立戰爭結束。

5　荷蘭的獨立戰爭，又稱「八十年戰爭」，發生於1568-1648年，是尼德蘭（包括今天荷蘭、比利時、盧森堡三國和法國北部的一小部分）反抗西班牙統治所展開的戰爭。經過多次海戰後，尼德蘭與西班牙於1609年簽訂了12年的停戰協定，不過，雙方在海上的競爭仍未停止。1621年，停戰協定屆滿，兩國戰爭又起，直到1648年，尼德蘭聯邦共和國（由於荷蘭的經濟和政治地位最為重要，故又稱「荷蘭共和國」）才真正脫離西班牙統治而正式獨立。

其次，對方辯友不遺餘力、無一例外地譴責每一場戰爭。他們認為從現在起，沒有戰爭是合理的。據此，我們要求他們作出如下預言： 永遠不會存在發動戰爭的必要性。現在是對戰爭進行不加區別地予以譴責的時候了，而不要等將來什麼合適的時間。

第三，人性就是人性。某些國家也會暫時誤入歧途，運用戰爭來解決分歧。果真如此的話，正方辯友想要完全消除戰爭，那麼他們就必須徹底提供給我們一個改變人性的方法，或在所有其它方法失敗後，提供比戰爭更有效、可行的替代方法。

另一方面，我們反方並不是想說未來一切戰爭都是正當的，也不認為其中的大多數或很多是合理的。今晚我們反方要陳述的觀點是：因形勢所迫而發動的戰爭才是合理的。所以，尊敬的評委們，即使一百場戰爭中只有一場是合理的，我方的觀點即成立。

同樣，我們反方並不能斷言戰爭永遠不會被消除。我們渴望這一天能快點來到。我們和正方辯友的目標是一致的，都希望世界各國永久和平。我們渴望不要有什麼麻煩需要靠戰爭來解決；或者，即使有什麼麻煩，也無需訴諸武力。但是，只要這一理想狀態還未達到，就不可能徹底消除戰爭。

女士們，先生們，我們今晚聚在這裏的目的，既不是提倡用戰爭解決爭端，也不是譴責戰爭。事實證明，沒有哪個有思想的人會支持戰爭，而每個有理性的人肯定都憎恨戰爭。因此，我方與正方辯友在這點上達成了一致：戰爭是昂貴而又可怕的。那麼今晚雙方在一起要討論的唯一分歧在於：

首先，會有什麼比戰爭更昂貴更可怕的東西嗎？第二，如果有的話，那麼戰爭能夠阻止它嗎？第三，還有比戰爭更好的解決之道嗎？最後，如果其它措施都無濟於事的話，發動戰爭有錯麼？

正方辯友也承認，過去的有些戰爭確實是合理的，因其消滅了比

戰爭本身更糟糕的東西。他們剛剛已向我們證明，世界環境已發生了改變，戰爭的運用應受到譴責。他們斷言，從現在開始，只要這個世界還存在，就不會，永遠不會有任何一場戰爭是合理的。他們建議用其它的方法解決一切可能的國際問題。我方要求他們能向大家介紹這樣的方法。

另一方面，我方反對這一主張。對戰爭，我們不能採取完全的譴責態度，而必須允許有例外。不論人類是否能徹底消除戰爭，我們現在還不能作出如此的斷言即戰爭不再合理。

一定條件下戰爭的合理性與必要性（二）[1]

張四維

尊敬的主席、評委，女士們，先生們，你們好！

我的同學已經大體說明了今晚辯論中我方的觀點。對方辯友堅持認為戰爭是恐怖的，在這一點上我們反方也表示同意。我們也有共同的憂慮和願望，希望看到普天下共用和平，「人民用劍作犁鏵，用矛修剪枝椏，而不是一個民族拿起武器來反抗另一個民族，人們也不再學習作戰」。為此，我們雙方唯一的不同觀點是：對方對戰爭持徹底的否定態度（這一點當然很難證明），而我們認為有些情況下戰爭是必要的。

當看到預防措施的不斷增加和大眾對不必要戰爭的不滿情緒的蔓延，我們很是欣慰。但是我們認為，在現階段和今後的一段時間之內，人們都沒準備好去應對一個沒有戰爭的世界。我們也意識到，即使在正義戰爭中也存在一些罪惡的因素，但是我們的觀點是，與不發動戰爭將會產生的罪惡相比較，這點罪惡也算不得什麼了。

作為反方二辯，我希望能向大家闡明，那些能給社會帶來福利，符合大多數人利益的戰爭是合理和必要的。就現在的形勢而言，我們

1　本文由上海理工大學教師付宏翻譯。

相信，只有通過戰爭本身，才能夠創造出一個永遠沒有戰爭的世界。

首先，我們認為一些介入性的戰爭是合情合理的。作為世界社會群體中的一個成員，每個國家都有相應的權利和義務。維護世界公共秩序，消除危害共同利益的邪惡因素，正是對每個國家權利和義務的詮釋。從一八一五年開始，美國就在促進世界和平方面擔當著世界的領導者。理查‧沃森（Richard Watson Gilde）[2]談及最近的戰爭時說：「今天，當我們把精力用在防止侵略的鬥爭上時，就是為維護正義、四海之內皆兄弟的信念而努力。」

總體來說，世界還沒有完全擺脫黑暗的統治！各階層、各民族之間的不義行為和壓迫仍然存在。儘管有國際聯盟，一些強權仍用武力和伎倆威脅著一些弱小、命運不濟的國家，雖然不總是公然挑釁。顯然，最壞的例子就是土耳其人對小亞細亞地區的希臘和亞美尼亞施行暴政。一些傳教士、救濟處秘書和其它目擊者的描述，展現給我們的是一個正消失的民族在吶喊這樣一幅真實而又可怕的畫面。大屠殺事件還是經常發生，土耳其人至今還津津樂道於他們當年屠殺亞美尼亞人的惡劣行為[3]。在被驅逐出境的路上，這些難民們被迫在寒冷刺骨的天氣裏露宿野嶺，沒有床和被子。一些婦女和兒童及老人自然不堪一擊，蜷於路邊，最終因飢餓和疾病死於街頭野外。這使我們心痛不已！在這種情況下我們應該做些什麼呢？再也沒有比拿起手中的武器

2　理查‧沃森（Richard Watson Gilde, 1844-1909），出生於新澤西州，美國著名編輯和
　　詩人。

3　指亞美尼亞大屠殺事件。1915-1917年，土耳其奧斯曼帝國統治時期，大約有100多
　　萬亞美尼亞人被屠殺。因為在大屠殺歷史問題上的分歧，兩國關係一直趨於緊張。
　　2009年10月10日，土耳其和亞美尼亞兩國外交部長在瑞士蘇黎世簽署和平協議，實
　　現兩國關係正常化，結束將近一個世紀的敵對關係。儘管分歧猶存，但建立正常的
　　外交關係依然成為了土耳其和亞美尼亞共同的選擇，也給持續動盪的外高加索地區
　　帶來了曙光。

去戰鬥更好的解決方法了，就像醫生拿起手術刀切除癌症腫瘤一樣。國際聯盟成立的最偉大及耀眼之處，即五十個國家齊簽條約，約定從現在開始互助協作，建立友好關係。這還是歷史上第一次世界上如此眾多的人民意識到一個共同的道德責任，即肩負世界和平，並為有效地履行該責任成立機構制定章程。因此，我們期望在不久的將來，國際聯盟能夠集體使用武力阻止土耳其人，因為事實已經證明書面干涉已無濟於事了。這不是因為私心而發動的侵略戰爭，而是為了高尚的目標而發動的正義戰爭。威爾遜總統曾經說過：「我們對戰爭的希望無異於其它國家，即世界由此變得安定，這樣熱愛和平的國家能夠像我們一樣過自己的生活，創立自己的公共機構，受到其它國家公平公正的對待，遠離武力和自私侵略。」我們憧憬世間充滿正義，沒有邪惡，但只要邪惡存在我們就要拿起手中的武器去消滅他們。我們堅信若沒有其它方式，通過武力來說明受壓迫的人民是必要的，這也是我們的職責。

　　貴方有一辯友譴責所有防禦性戰爭。所以，第二點，我有責任來說明有些防禦性戰爭也是正義的。例如，一九〇七年的海牙會議[4]，一九一八年的巴黎和會，一九二一年的華盛頓反武裝聯合會[5]，都旨在維護世界和平。他們都提議削減戰艦，減少徵兵和製造軍火，但是他們仍然保留足以自我防衛的軍隊規模。世界還沒有達到無需防禦保

4　海牙是荷蘭政府和議會所在地，1899和1907年兩次國際和平會議都在這裏舉行。第二次海牙和平會議（1907年6月15日～10月18日）有44個國家參加，重新審定了1899年的3個公約，通過了有關中立問題、海戰法規等10項新公約。會議還通過了幾個宣言、決議和8年後召開第三次和平會議的建議（因第一次世界大戰爆發這項建議未能實現）。會議還討論了限制軍備問題，但無進展。兩次海牙會議所通過的13項公約和文件，總稱《海牙公約》或稱《海牙法規》。

5　即華盛頓會議。會議期間簽訂了《美、英、法、意、日五國關於限制海軍軍備條約》（即《五國海軍條約》）等三項條約。

護就能確保安全和幸福的時代。殺人當然是屬於犯罪，但是為了拯救
一百個人而殺一個人就應另當別論。看看在西伯利亞和蒙古邊境猖獗
的俄羅斯強盜和暴亂者吧。他們燒毀我們的房屋，掠奪我們財富，侮
辱我們的婦女，殺死我們的人民。他們實際已經脫離政府的控制了。
那麼，我們除了用軍隊來保衛我們國家的子女，正像我們現在做的那
樣，還能有更好的辦法嗎？難道我們要等到這幫無恥之徒學會正義、
履行正義嗎？請問對方辯友，在這種情況下還能夠有更好的建議嗎？
如果有，請回答！

　　回首過去十五年的艱辛歷程，充滿了令人恐怖的火災和戰爭，壓
迫和監禁，從中走出來的是強大正義的美利堅合眾國。難道她為抵制
壓迫而做的努力不是正義的嗎？再者，她經歷的一八六一年內戰[6]，
不僅僅意味著奴隸的解放。從廢墟和瓦礫中崛起，美國人見證了一個
民族是如何實現一個崇高的使命，那就是為受壓迫的人類爭取進步。
讓我們來看看目前的世界：　社會等級森嚴，到處充滿了種族偏見和
民族仇恨，人民和民族正遭受她強大的鄰邦壓迫，奴隸無法發展自己
的個性。人類如果被剝奪了一切人權，還不如牲畜。只要人類的自私
本性仍然存在，書面上的公平和正義永遠不能保證和平。我們至今還
能聽到人們呼救的吶喊，還能看到他們為了生活和自由而鬥爭。今天
晚上我們高聲呼喊，並像派屈克‧亨利（Patrick Henry）[7]那樣反問：

6　1861-1865年，美國南方與北方之間進行的戰爭，又稱南北戰爭，美國內戰。北方領
　　導戰爭的是資產階級，戰鬥力量是廣大工人、農民和黑人。在南方，領導戰爭的是
　　種植場奴隸主，他們進行戰爭的目的是要把奴隸制度擴大到全國，而北方目的則在
　　於打敗南方，以恢復全國統一。最後北方獲勝，確立了北方大資產階級在全國的統
　　治地位。內戰還消滅了奴隸制，為美國的資本主義迅速發展掃清了道路。

7　派屈克‧亨利（Patrick Henry, 1736-1799），美國愛國主義者和著名的演說家，堅信
　　人權，堅持爭取獨立。其名言「不自由，毋寧死」（Give me Liberty，or give me
　　Death！）成為美國革命志士鼓舞士氣的號召。

「難道要用枷鎖和奴役來換取如此珍貴的生命，如此甜美的和平嗎？」我們認為，上帝賦予我們權力來保護我們自己，過去是如此，現在更是如此。我們應該給予被壓迫的人民這樣的權力，讓他們使用任何可能的武力手段去獲得解放和自由，而我們的辯友卻認為，弱者應當永遠被奴役！

　　尊敬的評委，我們認同戰爭是可怕的。但我們堅持認為，如果一些戰爭能夠阻止比戰爭恐怖十倍甚至一百倍的事件發生，這種情況下發動戰爭是合理的。戰爭的目的是除暴安良，自我捍衛。總之，若通過戰爭能夠使世界人民安居樂業，並能夠使大多數人民受益，我們反方就堅信這樣的戰爭仍然是正義的！

一定條件下戰爭的合理性
與必要性（三）[1]

潘恩霖

尊敬的主席、評委，女士們，先生們，你們好！

我方一辯和二辯已一再提請對方辯友注意今晚辯論的主題不是戰爭有多恐怖，而尊敬的對方辯手卻一直在我們認同的話題上堆砌辭藻。一般來說，戰爭當然是遭人唾棄的，任何戰爭辯護者，不論冠以何種理由，都是大錯特錯的。我們反方當然不願成為袒護戰爭的辯護者。我們迫切希望這個世界沒有戰爭，但現在卻可能發生比戰爭還要恐怖的事情。所以在徹底消除戰爭之前，我們期望能採取一些防禦性措施和補救性辦法。

很高興，正方一辯剛剛說，團結合作的理念正逐步取代戰爭。再者，讓我們感到欣慰的是，迄今為止，人類越來越重視彼此的共同利益，對戰爭的需求雖然沒有完全消除，但在很大程度上已經減弱。

但是，女士們，先生們，這一切並不意味著我們現在就必須消滅戰爭。正如我方隊員所說，我們的安全還沒有保障，其它的基本保護措施也還沒有策劃。

試想一下，如果一個人喪心病狂，犯了罪，政府能做的就是派員

1　本文由上海海洋大學教師杜義美翻譯。

警逮捕他，必要時實行槍殺。當然，在這個特定情形下，員警不是綁匪，也不是殺人犯。政府抓罪犯是出於保護公共利益。我們贊同他們採取這樣的措施，你們大家肯定也一樣，包括對方辯手。這又一次證明，戰爭有時候是一種防禦性措施。將來有一天，也許在座的某位出遊至荒野時，碰到一搶劫犯不論出於什麼原因要殺害一位婦女或兒童，如果你能夠以武力阻止他，難道為了保護婦女或兒童你不會採取這個最後的手段嗎？我舉這個例子不是說可以干涉別人的事或出於正當防衛就可以殺死別人，而是要說明，在其它辦法行不通的情況下，為避免悲劇的發生，完全可以借助武力。

讓我們進一步把戰爭比喻成一種外科手術。有時候可以用短暫的劇痛讓病人免遭長期的痛苦。這樣做不是說我們可以毫無道理地傷害別人，讓別人受罪，而是說醫生為患者利益著想可以動這個「刀子」。我們贊成這樣做，你們大家肯定也一樣，包括對方辯手。

女士們，先生們，除非有更好的辦法，又或許我們能肯定不會發生犯罪，不會發生搶劫案，也沒人會生病，否則，我們就沒有必要保留政府逮捕喪心病狂罪犯的權力，保留遊客幫助婦女或兒童的權力，保留公民自我防衛的權力，保留醫生為病人動手術的權力。當然，這些舉措的代價將是又痛苦又昂貴，我們建議，不在萬不得已的情況下不這樣做。只要有可能發生犯罪，有人生病，我們就堅持有必要準備一些補救措施。在其它方法都失敗時，我們還可以訴諸最後的辦法。

除非對方辯友能提出比戰爭更好的預防悲劇的措施，或者能確保將來沒有國家或民族會採取暴行，否則我們不允許他們譴責未來的所有戰爭。

對方辯友提議強化國際聯盟[2]的作用。我們也認為，組建國際聯

---

2 參見前文〈李頓報告書的研究〉中的相關注釋。此時國際聯盟已經成立，但是作用不大。

盟確實是減少戰爭、消除不必要戰爭的最有效措施之一。但是，它雖
然有效，卻不能解決問題的根源。可以想像，許多加入國際聯盟的國
家可能會信守合約，但是也許有一天，某個國家會因本國的榮譽和權
利而一時衝動，採取普魯士式的軍事行動（最近一次歐洲戰爭所熄滅
的軍事行動就是一例）。當然，國際聯盟會循循善誘。但不幸的是，
邏輯或辯論對於已然瘋狂的人們來說無濟於事。要想把國際聯盟組織
從一紙空文變成真實有效的國際聯合會，就必須借助武力——在特定
的情況下就是戰爭。所以，國際聯盟並不能完全取代戰爭，只能將其
減少到最低限度，只要大多數國家認為必要的戰爭就能被允許。國際
聯盟象徵著國家間的相互依賴，它首先要宣導的就是喚醒全世界的共
同意識。但是，假設一個國家瘋狂地反對另一個國家——我們也知道
這種情況是可能發生的，就像現在土耳其對亞美尼亞所採取的行
動——或者成為叛變國際聯盟的成員，那又如何呢？國際聯盟是否就
無所適從呢？我們莊嚴聲明：「採取武力實施決定吧！」假如在劍拔
弩張時，國際聯盟採取武力行動，那它就是在為全世界（包括那個它
要訴諸武力制服的國家）謀福利。

　　千萬不要認為我們反方是在慫恿你們去殺戮，這是完全違背基督
教「仁義愛敵」的教義的。基督教並沒有教育我們不要保護自己免受
不必要的傷害，也沒有讓我們忍受不合理的壓迫，更沒有讓我們助紂
為虐，任其猖獗。事實上，整個基督教教義不就是痛擊邪惡嗎？我們
確實想愛護我們的敵人，但假如因此讓我們的朋友遭受損失，我們還
能愛他們嗎？

　　就此，我們引用已故詹姆斯・哈斯丁斯（James Hastings）博士[3]

3　詹姆斯・哈斯丁斯（James Hastings, 1852-1922），又譯詹姆斯・漢斯廷或詹姆斯・
　　哈斯丁，出身於蘇格蘭亞伯丁郡的亨特利鎮，曾在亞伯丁大學研習經傳，宗教學
　　者。1884年，被任命為自由教會神學院的部長，是《解釋的時代》（Expository
　　Times）雜誌的創建者和編輯。

即《宗教和倫理百科全書》主編所著《基督教和平教義》中的總結語,「戰爭是邪惡的,我們要盡己所能避免它;但如果不避免戰爭,就不會遭受更大的損失。」不保護自己以免受非法的侵襲是愚蠢的,不敢抗擊邪惡是懦弱的,對弱者受蹂躪坐視不管,當然更是一種罪惡。今晚我們不是辯論戰爭是否可怕,而是辯論戰爭是否能消除比戰爭本身更大的恐怖。我們都認可,在人類文明的進程中,戰爭因其可怕的一面必須被廢止,但同時我方又認為目前時機尚不成熟。當對方辯友譴責某些只意味著自殺或謀殺的一些戰爭,或大多數戰爭時,我方衷心贊同。但當他們譴責所有的其它戰爭,就像前面講到的員警抓殺人犯,醫生為病人做手術時,我方全力反對。當無辜的亞美尼亞人遭受土耳其人的壓迫,而我們這些人卻一邊談論兄弟情誼,司法公正,一邊又袖手旁觀,我們不應該為此感到羞愧嗎?

尊敬的評委,我們聽到了那些受壓迫的人們無助的呼喊,包括悲慘的亞美尼亞人在土耳其的暴行下的呼喊。我們必須以正義和人道主義為由做出應有的犧牲。在此情況下,我們反方絕不做旁觀者,那麼對方辯友呢?

花絮篇

　　不是所有的講演都有完整的記載。除了前面收集到的部分講演稿外，實際上仍然有很多講演稿未能流傳下來。一九一八年，滬江大學社會學社、教育研究社、科學社相繼成立。其中，科學社每星期請名人演說一次，南開大學校長張伯苓、大夏大學校長馬君武、中央研究院總幹事薩本棟等著名學者，都曾應邀到滬江大學演講，但因為這些講演的內容也已無從查考。淩憲揚主持校政期間，滬江大學仍然「經常邀請帝國主義的反動頭子到學校裏來演講，像前美國駐華總領事卡勃脫、前美國駐華大使司徒雷登、美國新聞處負責人等」[1]。但因為缺主記錄，這些講演的內容究竟如何，不得而知。

　　值得慶幸的是，尚有部分講演花絮散見於各種刊物中的「校聞」、「要聞」等欄目中；滬江大學第一個女大學生的講演雖然篇幅較短，卻是開闢了「新紀元」，讓我們耳目一新，欣喜萬分；對某場演說本身所發表的評論，如〈評萬璞女士「女子參政」演說〉及〈閒話：談談演說〉，以及如何提高辯論水準的相關文章的發現，如朱榮泉[2]的〈辯論會之改良〉等[3]，語言生動而幽默，更從一個側面說明了講演和辯論在滬江大學學生中的影響。而〈從演說辯論中所見到的幾個根本弱點〉則從另外一個側面真實地反映了部分大學生對演講辯論

1　1951年5月29日《解放日報》第4版趙維明文：〈美帝國主義的忠實走狗——淩憲揚〉。
2　朱榮泉（Chu.Y. C., 1898-1969），又名仁，浙江余姚人，滬江大學1921屆國文專業畢業生，文學學士，後留校任教。1921-1941年任國文系講師、副教授。曾參與發起創辦余姚首所全日制普通中學——余姚私立實獲初級中學。上海淪陷後，回余姚與黃雲眉等辦戰時學生補習班，1939年任實獲中學校長。1948年，任余姚縣立簡易師範學校校長，捐私蓄使學校維持到新中國成立。以治校嚴屬著稱。
3　華東師範大學圖書館館藏1920年12月11日出版《滬江大學週刊》第10卷第5期，頁1。

的心理認知乃至二十世紀三〇年代大學生活的實際。這裏摘錄其中的部分，權作補充，以便讀者能更全面地了解相關訊息。

滬江大學第一個女大學生的講演[1]

T. T. Nyi

　　華東師範大學圖書館館藏、一九二〇年十一月十三日出版的英文版《滬江大學周刊》第十卷第一期頁三報導：新紀元——第一個女大學生的講演（Epoch-making Event——First Speech by Girl Student）。

　　本講演稿刊載於華東師範大學圖書館館藏、一九二〇年十一月二十日出版的英文版《滬江大學周刊》第十卷第二期頁四十五，標題為First「Coed's」Speech in College Chapel。「Coed」（Coeducational）係美國口語，指男女同校大學中的女生。根據講演時間及滬江大學男女同校的開始時間判斷，T.T.Nyi是一九二〇年進校的滬江大學首批女大學生之一，遺憾的是，其中文名及所學專業不詳。

　　女士們、先生們：

　　今晚我作為本校一名新生而且是一名女生[2]，能和大家一起慶祝這一盛事，深感榮幸。很高興向你們表達我及姐妹們衷心的感激之情。

1　本文由上海海洋大學教師杜義美翻譯。

2　本講演的時間和滬江大學男女同校的開始時間相吻合。王立誠著《美國文化滲透與近代中國教育：滬江大學的歷史》認為，滬江大學男女同校始於1920年，是中國制度上最早施行男女同校的大學，但同時又指出，就在這一年，嶺南、東吳、雅禮大學也正式招收女生。另據傑西・格・盧茨著，曾鉅生譯《中國教會大學史1850-1950》（浙江教育出版社，1987年），頁127記載，作者據1926年《教會大學手冊》頁28、32，並沒有明確地說滬江是最早制度上施行男女同校的大學。

今年夏天，我去了南京。朋友帶我遊覽了一個美麗的湖，湖水不深，但湖面很寬，湖面上有很多睡蓮。我們租了一葉扁舟去湖上玩。我本以為划船很容易。朋友再三叮囑我要注意東注意西，可船剛離岸我就手足無措，還沒等人來救我，小船就翻了。後來有人把我救上了岸。

我舉這個例子是想說明我們女生一開始對男女同校教育的感受，跟畫小船一樣，說起來容易做起來難。我和同伴們已度過了最初的艱難期，開始享受大學生活了。

今天，我代表全體女生，對你們這些日子以來為我們所做的一切表示深深的感謝。這一全新的辦學模式對我們彼此同等重要，我們雙方要各司其職，以確保其邁向成功。願基督精神保祐你們。希望下個十年慶典上能有更多女生來這個教堂裏祝賀你們。

班級樹[1]

朱榮泉

　　原稿指出，這是「在班級活動日上的講演」（A Speech Delivered at the Class Day Exercises），講演者 Dju Yung Chwang 是滬江大學學生，一九二一年畢業。根據讀音及一九二一屆畢業生的全體姓名判斷，該畢業生應為國文專業的朱榮泉[2]。

　　摘自華東師範大學圖書館館藏、一九二一年六月出版英文版《滬江大學月刊》第十卷第二十九～三十合期。

　　老師們，同學們，女士們，先生們：

　　根據我校和其它學校的慣例，畢業班有選擇一棵班級樹，並且派一名代表發言的傳統。今年，我們一九二一屆畢業班[3]選了這棵樹作為我們的班級樹，我將作為代表發言。很抱歉，我不善言辭，無法長篇大論，我只想說一下一九二一屆這棵班級樹的意義。

　　首先，它代表著記憶。我們就要離開學校了，不在教室上課，不在操場上玩耍、運動，也不去小教堂做禮拜了，也不知道以後的日子

1　本文由上海理工大學研究生王琰、上海海洋大學教師杜義美翻譯。

2　朱榮泉的英文名多用Chu.Y. C，但不排除還有其他類似的拼寫方法。參見前文導言中的注釋。

3　根據王立誠著《滬江大學簡史》，滬江大學1921屆畢業生有21人，分佈在社會、教育、國文、格致、宗教5個專業。下文「告別演說」中的張美銓是1921屆宗教科畢業生。

裏是不是還能跟你們在校園裏相遇。但是我們對學校的熱愛之情，對你們的眷戀之情將會永駐校園。這棵班級樹將寫上我們的名字，代表我們一九二一屆全體同學，讓我們的愛化成這棵樹每天陪伴著你們。

其次，它代表著希望。它從一粒小種子發芽、生根到枝繁葉茂，將來一定會長成參天大樹。願我們的學校也像這棵小樹一樣，夯實基礎，欣欣向榮。我相信，將來會有一天，同學們會聚集在這棵班級樹前，一起慶祝我們偉大母校的繁榮昌盛。這棵班級樹一定會見證這一刻的到來。

第三點，也是最後一點，它代表著付出。大學生活結束了，我們即將駕駛生命之舟駛入社會這個海洋。我們有決心要服務社會，卻不知如何著手，是這棵班級樹為我們指明了方向。她一天天長大，開花結果，哺育著母校的莘莘學子；她將為他們提供陰涼，遮風擋雨；她將為建造大學的大會堂提供原料，供所有的在校學生、畢業生聚會之用；她將為印刷機提供燃料，傳遞母校的喜訊。不知道我們能否取得這樣的成就，但我們會努力為母校的發展貢獻自己的力量，為母校揚名而先行一步。真誠的邀請你們加入這個行列，與我們一起為這個目標而努力。

告別演說[1]

張美銓

張美銓，滬江大學宗教科學生，一九二一年畢業。根據記錄，這次講演是在班級活動日上舉行的。

本講演稿摘自華東師範大學圖書館館藏、一九二一年六月出版的《滬江大學月刊》第十卷第二十九～三十合期。

女士們，先生們：

今天是我們一九二一屆的同學們最後一次以普通大學生的身份，出現在各位來賓、各位老師以及親愛的同學們的面前了。我們的心情極其複雜。一方面是高興，因為我們終於啃完了枯燥乏味的大學課程，可以大幹一場，去實現美好的未來了；另一方面又很悲傷，因為不久我們就要離開敬愛的老師、可愛的同學以及這美麗的校園。回顧與你們共度的時光，我們倍感快樂，尤其要感謝老師們，是他們幫助我們樹立了社會觀、道德觀和宗教觀。親愛的老師，雖然我們就要離開了，但我們會把你們的教誨銘記在心，並將作為我們以後人生道路的領航燈。所以，要特別感謝敬愛的母校老師們，是她們的言傳身教才培養造就了我們，我們將永遠愛戴她，記住她，只要她一聲召喚，我們就會及時出現。

1　本文由上海理工大學研究生王琰、上海海洋大學教師杜義美翻譯。

　　親愛的同學們，我們會記得與你們一起度過的美好時光，記得我們一起去小教堂做禮拜，一起為同一足球或籃球比賽吶喊助威，一起唱歌，特別是唱我們的校歌。但現在我們只能很不情願地憂傷地離開了。

　　我們不久就要離開你們，離開我們的大學校園。我們將親手把這個我們熟悉並一直引導、幫助鼓勵我們的校園交給你們，我們的內心其實充滿了依依不捨，這是人之常情，但我們愛護你們，尊敬你們。即使過去我們有什麼不足之處，相信你們會原諒我們。真誠希望你們能肩負起使命，提升學校知名度，為學弟學妹們創造美好的校園生活。

　　女士們，先生們，我重申以下三點： 首先，對你們的關心、幫助和支持，我們深表感激。其次，我們一九二一屆全體同學會為母校的發展繼續貢獻自己的力量，同時我們也希望在座的同學能與辛勤付出的老師們共同合作，努力把母校打造成世界一流，至少是中國一流的大學。最後，我代表一九二一屆全體同學，向你們表達我們複雜的離別之情，祝願未來的日子裏你們一切都好。

世界的命脈[1]

C. T. Wang

本文摘自華東師範大學圖書館館藏、一九二一年一月二十九日出版的《滬江大學周刊》第十卷第十四～十五合期。作者生平不詳。

一月十七號下午兩點，上課鈴響的時間比往日要長，顯得比較特殊。鈴響期間，學生們湧入小教堂，生怕不能占到靠近講臺的位置。沒有人要求他們這樣做，只是因為這是一個特殊的時刻。他們是要去聽演講！哪怕那些平時對於演講漠不關心的學生這次也異常積極，因為主講人是 C・T・王博士。

在演講正式開始前，懷特博士表示，他十分高興能夠請到王博士做此次演講，並且表達了對這位老朋友的熱烈歡迎。然後，學生自治委員會的主席 K・M・陳先生向觀眾介紹了王博士的一些情況。王博士本人也首先表達了他的遺憾之情。儘管學校以前一再邀請他，但卻一直未能成行。他對學校的評價就是：學校發展得太迅速了，尤其是學校的建築和學生隊伍的壯大。

王博士演講的主要內容是關於「能源──世界的命脈」。下文僅是此次演講的大意：

世界上最重要的就是能源。能源可以從各種角度來理解。從原料

---

1 本文由上海理工大學研究生王琰、上海海洋大學教師杜義美翻譯。

角度看，我們有電力。無線電報、無線電話、電力火車等是對電力的標誌性應用。除此以外，我們還有水力。水最常見的應用形式就是蒸汽。我們可以提供更多形式的能源。除非我們知道怎樣控制能源的使用，否則就不能物盡其用了。

比之我們的祖先，我們的體質退化了，但是大腦進化了。也就是說，我們的體質呈下降趨勢，而腦力卻在上陞。大腦發達了，體質相對就在下降，但我們卻絲毫不遜色於我們的祖先。以前我們看不見微生物，但是現在借助放大鏡，我們看得很清楚。大腦使我們的視野放大了一千倍。以前我們聽不到遠處的人們所說的話，現在我們借助電話和無線電話，可以聽到大洋彼岸人們所說的話。同樣，通過使用手槍和大炮，我們的手指也越來越長。

人類處於野蠻階段時，一心好鬥，這是人類的本能，同時也因為他們身體強壯。人類的自私導致了其相互間的爭鬥。但是現在人類把自己的精力用於為他人謀福利了。例如像巴斯德[2]那樣的人們，他們用自己的力量造福人類。我們都知道伍連德（Wu Lin-tuh）博士[3]，我們非常仰慕他，尊重他，因為他在滿族人遇到瘟疫的時候挺身而出，造福同胞。所以在面對疾病的時候，人類成了自己的保護神。

我們求學是為了提升自己。既可提高自身知識水準，又可培養自己樂善好施的精神。前者可以讓我們懂得更多，勤於思考，引領我們走上積極的道路。而後者可以培養我們堅強的道德品質。否則，僅知識水準的提高並不能給我們帶來很大的幫助。為了實現上述目的，我們必須做到：（一）身體健康。只有身體健康，才能意志堅定；（二）必須培養耐心和毅力，否則我們就沒有勇氣完成各項任務；（三）勤

---

2 路易士‧巴斯德（Louis Pasteur, 1821-1895），法國微生物學家、化學家，近代微生物學的奠基人。

3 參見前文〈拒毒是全體人民的責任〉中的相關注釋。

學不倦。無論我們是在求學還是已經畢業，因為「學習永遠不會晚」。

王博士的演講生動有趣，既鼓舞人心，又十分令人愉悅，是名副其實的聽覺享受。我們希望王博士能夠再次光臨我校。

關於黃浦江及長江的地質學分析[1]

赫伯·查德理

　　本文摘自華東師範大學圖書館館藏、一九二一年一月二十九日出版英文版《滬江大學週刊》第十卷第十四～十五合期。

　　（1921年）一月十四號晚上，黃浦江保護委員會代理總工程師赫伯·查德理（Herbert Chatley）博士[2]作了一場講座，聽眾有地質學及地理學專業的學生，對此學科感興趣的其它專業的學生以及「黃浦江及長江地質學分析」研究小組的一些工作人員。會議由郝齊佳博士[3]

1　本文由上海理工大學研究生王琰、上海海洋大學教師杜義美翻譯。

2　赫伯·查德理（Herbert Chatley），又譯查得利，英國人，後任黃浦江保護委員會第三任總工程師。1931年5月15日，查德理制訂的《黃浦江維持和改善工程第三個十年計劃（民國21～30年）》公佈。其主要內容為：擬在今後10年中從吳淞口到張家塘（約在龍華水泥廠上游一英里處，係當時港區的上界），採取疏濬措施來改善航道，達到寬度為500英尺（152.2米）、深度以越近30英尺（9.14米）越好，使在平均水位下能有36英尺（11米）的深度。計劃強調要在凸出的河段經常重複的挖泥以保持濬浦線內相當的深度，而在陳家嘴與董家渡等處的急劇彎道以及潮流中的漩渦處，則採用石塊和硬土向深淵中拋投。該計劃自1932年實施起，到抗日戰爭爆發時止，6年中共挖泥1634.15萬立方米。治理結果，除吳淞外沙、高橋新航道兩處水深略超過9.14米的要求外，陳家嘴和匯山航道僅分別達到7.93米和8.54米。

3　查王立誠著《滬江大學簡史》附錄一中提及，滬江大學教師中有兩個叫郝齊佳的人。其一是美國人郝齊佳（Henry Huizinga），胡帕學院文學學士、西部神學院碩士、密執安大學博士，1919-1937年任滬江大學英文系主任，1923-1936年為英文教授。另一個郝齊佳是1917-1920年間的物理與數學系及電訊系主任，1917-1922年為教授。此處的郝齊佳應是前者。

主持，他向觀眾介紹完查德理博士後，又向其介紹了現場來賓。

查德理博士先在黑板上畫了一個圖表，標明了黃浦江的源頭及其支流。他告訴我們，黃浦江以前並沒有現在這樣寬，只是和蘇州河差不多。它變寬主要是由於洶湧的潮水沖刷兩岸造成的。他還列舉了河道中一系列泥漿的種類。按照查德理博士的說法，崇明島在一千五百年前並不存在，上海也是三千年前才出現的。每天大約有五十萬噸的泥漿和四十億立方英尺的水量流入黃浦江。他還提到了在這塊土地上發現的各種岩石的種類。在太湖西側還蘊藏著煤。他還向我們展示了多種岩石的樣本。

查德理說道：「長江每年大約給下游帶來五億噸泥漿。」談到黃河的時候，他的話令我們大吃一驚。他說黃河在冬季時水面面積比黃浦江還小，但在夏季卻和長江水面面積相當。最後，查德理博士殷切希望我們能夠應用地質學改善這些河流的狀況。

查德理博士的講座生動有趣，幽默易懂。我們聽得饒有興趣。畢竟他是當今中國河流研究領域的權威之一。

陶行知：社會大學之道

藍依

　　本文摘自《文匯報》一九四六年五月二十二日第五版，作者「藍依」似為筆名，真實姓名不詳。編者曾經在上海師範大學中國陶行知研究會網站（http://www.taoxingzhi.org/）中看到過一篇題為「陶行知的最後一次演講」的報導。該文所記內容和本文基本一致，但將講演時間說成「一九四六年七月十二日」。一九四六年七月二十五日，陶行知因突患腦溢血逝世，終年五十五歲。所以，該文認為，在滬江大學的這次講演也就成了陶行知一生中最後一次講演。

　　在掌聲的四起中，陶行知先生來到滬江大學了。

　　黑的中山裝，黑的眼鏡邊，黑的皮鞋，以及黑的短髮……肯定的目光落在鼓掌的同學身上，他發言了。「想起七年前」，他這樣開口起頭，「這裏還沒有女生，現在，卻能看見男女同學一起聽講了」[1]。同學們笑了起來。

　　接著，他開始了今天要講的題目：社會大學之道。

　　他首先闡明，可能想進入社會大學的人數，是一個相當大的數目：二百十六萬人。這麼多人因為社會大學的門沒有開而彷徨在知識之宮外了。他又指出這批青年中有沒有進入大學之門的高爾基，有沒

1　陶行知說「七年前」應該是在1939年前後，那時候滬江大學已有多名女生。對這樣的情況，陶行知不可能不知道。故此處可能系表達或者記錄有誤。

有經過中學之門的矛盾……但是，社會大學雖然重要，而「要使上海的四萬知識青年入校確是很為難的」。他老先生感慨地搖頭了。

學生們的呼吸也輕微了，憂愁侵進了他們的心裏。他提高了聲音，堅定的字眼又從他的口齒間吐出來。

「要辦社會大學，最重要的必需有一個社會大學之道」。

孔子辦大學，兼辦附屬中學，先生兼校長，他也有一個大學之道，「而孔子的大學之道，當然不適合今日」，微低的聲音帶著諷刺的口吻，「孔子當然是沒有男女同學的」。

臺上臺下都笑了起來，女同學們笑得更厲害。

「雖然如此，孔子的社會大學，要在今日立案，可也不是一件容易的事呢！」

大家又笑了，這笑聲實在是對今日某種醜惡制度的奚落。重慶的社會大學又是如何地創辦起來呢？

一句話，百姓的要求以及時代的潮流的推動，陶先生用不著「三顧茅廬」，便請出了第一流的教授！

他在講「三顧茅廬」的時候，自己忍不住也笑了起來，並惹動了咳嗽，咳聲連連，同學們都用不安的同情的眼光看著他。

「社會大學之道，在明民德」，他用粉筆在黑板上著重寫了一個「民」字。

第一，覺悟，現在是人民的世紀，要老百姓走什麼路，應該清清楚楚地告訴他們，怎樣走，為什麼走。

中華民國是一個大公司，老百姓是老闆，男的是男老闆，女的是女老闆。不能讓夥計們操縱。這是老百姓們應該覺悟到的自己的地位，也是社會大學應該灌輸的知識。

第二，聯合，聯合才有力量，所有的老百姓聯合起來做老闆，夥計們還敢放肆嗎？

　　第三，解放。首先要解放的是頭腦。封建時代統治者有一樣新發明：包腳布，製造出了無數三寸金蓮，現在的統治者有一塊包頭布，這是從希特勒黨徒處引進的進口貨，把人民包出了一個三寸金頭。（鼓掌）在四強會議中，這三寸金頭是太滑稽了。（大鼓掌）中山先生明明要解放頭腦，故此論並不和三民主義衝突。

　　其次要解放雙手。中國經濟的發展中，把勞心者與勞力者分了開來，勞力者被壓了數千年，勞心者悠哉悠哉。今日，大學生要解放手，中學生更得解放手，小學生尤其要解放手，而中國的家庭制度，動手的便打手，把安迪生[2]、佛拉弟[3]都打光了。

> 雙手與大腦，人生兩個寶。
> 用手不用腦，就要被打倒。
> 用腦不用手，飯也吃不飽。

　　這就是解放手腦的詩──是陶先生名詩之一，通俗而深刻。而學生、老百姓的求手腦的解放，是刻不容緩的事。

　　再其次是解放眼睛。統治者給老百姓帶有色眼鏡，又是一件「德政」。在後方，許多地方的學校只准看一種報，違者有入集中營的「皇恩」，有種地方，根本就只有清一色的報紙。

　　接下來要解放嘴。他說從前某國會議員素來高談闊論，到了重慶，便悶聲不響了，人家問他何故，他說：「老大哥，我只有一張嘴，要講話便不要吃飯」。陶先生又說他這次到南京去，嘴上掛了封條而歸，原因是南京人不敢請他演講。尤其是學生，陶先生以為非把嘴巴解放開來不可，敢於用嘴才是現代化的學生。

2　應為發明家愛迪生。
3　又譯法拉第，19世紀英國著名物理學家。

評萬璞女士「女子參政」演說

邵繩武

　　本文摘自華東師範大學圖書館館藏、一九二二年十一月二十五日出版的《滬江大學月刊》第十二卷第一期。北京大學圖書館也收藏有此文，但內容殘缺不全。作者邵繩武（Shao Sheng-wu）[1]是滬江大學商業管理系學生，一九二四年畢業，上海人。此文不是講演稿，內容卻是關於講演的評論，對讀者了解當時大學生對講演的態度和參與度，乃至對「女子參政」本身都有所幫助。

　　根據作者邵繩武的記錄，北京女子參政協進會代表萬璞女士來校演說的時間是（1922年）十月二十日，而題目是「女子參政問題」。作者「因素慕萬女士的口才，且覺這問題於國家前途很有影響，特於百忙中去聽她的宏論」。作者說，「萬女士對於女子參政的需要和效果發揮得很清楚，我非常欽仰；但我覺得有許多地方，她未免說得太過，也有許多地方，還欠明瞭。所以我現在以不偏不曲的眼光，敢膽把她的演說辭批評一下。」看得出，雖然觀點仍顯稚嫩，但作者很自信，所以文章讀起來很有些味道。

　　《滬江大學月刊》第十二卷第一期頁五十九「滬江大事記」欄目則記載——鼓吹女權：鼎鼎大名女子參政運動健將萬璞女士於十月二十日在本校大禮堂鼓吹女子參政運動，題為〈女子參政之必要〉。「口

1　邵繩武也參加了《沈家行實況》的寫作工作。

若懸河」、「滔滔不絕」、「至理名言」、「在在皆是」，誠我國二萬萬女同胞之救星也。

女子參政問題，可分三項研究。第一，女子該不該參政？第二，女子有沒有參政的必要？第三，女子參政於中國前途有什麼影響？這三項的研究結果，就能解決女子參政問題。

現在我要逐段說來。

凡稍有思想的人，一定承認女子應該有參政的權利。因為國民資格並沒有男女分別，同受法律的束縛，同盡納稅的義務，為什麼男子應有參政權，女子不應有呢？萬女士對這段說得非常痛快：「中國四萬萬人民，二萬萬是女子，沒有參政權，完全是被治的。但二萬萬女子內，有你的母親，姊妹，女兒和親戚，若是你說女子不該有參政權，你就是輕視她們的人格！」許多反對女子參政的，常把教育欠缺，秉性軟弱來搪塞，但這兩缺點，乃是能不能參政問題，不是該不該參政問題。萬女士對此也回答很好：「女子教育不夠，是暫時的，性情柔弱，是經驗關係，若是有充分經驗，一定同男子一樣剛強。」所以我對第一段女子該不該參政問題，與萬女士的意見是相同的。

講到女子有沒有參政的必要問題，萬女士以為女子有兩種不平等，就是教育不平等和遺產不平等。她又把教育不平等附屬於遺產不平等。她想女子獨立能力，全賴教育，要受教育，全賴經濟，先要打破男嗣遺產製度，所以遺產不平等較為重要。許多同學說她太重經濟，未免有拜金俗。但我卻知道她的意見，是完全根據個人經驗，並不是偏重金錢。目下女子求學的阻礙就是遺產製。各省官立女校很少，教會和私立女校的學費很大。父母不喜歡供給女兒學費，以為若把女兒學費來負擔，未必受人讚揚，若把學費充日後嫁妝費，卻可光大門楣，即使女兒有供養父母能力，但那時她已出嫁了。沒有父母的

女子，更無望了！父母雖遺下整千整萬的產業，只可任兄弟均分，她沒有半文一錢的主權，一方面學費很大，沒有人肯幫助。萬女士格外注重遺產不平等，我也贊同的。但我還要加幾層意思，除教育和遺產不平等外，還有待遇不平等。許多年長未出嫁女子，或因父母擇婿太苛，或因自己容貌不揚，或因別有志願，在家多受兄嫂弟媳輕視，當她作「贅疣」。出嫁女子，受男子節束，沒有財產權，男子有外遇或重婚，不要緊的，卻要求女子守貞服從。這種不平等的待遇，是普遍的，不知道坑死了多少女子。難道我們仍舊在任其生存嗎？

上述三種不平等，定要打破的，國家法律必要有專律來保護女子不受不平等的苦楚。但是法律是議會產生的。萬女士說：「議會是完全被男子把持的。他們或是不明白女子的苦楚，或是於自己有損失，不願製造專律來取消不平等的待遇，即使他們覺悟情願取消，也是不徹底的。」那是不錯的。但萬女士太偏重女子自身問題，因此（對女子）參政的必要，眼光未免太狹了。女子必要參政，因為可以代表二萬萬女子的輿論和公意，貢獻她們所長的地方，同男子為國家和人民謀幸福，使得中國政府並不是二萬萬男子的政府，乃是四萬萬男女的政府！

萬女士把女子參政當作解決男女不平等唯一方法，未免說得太過了。女子參政，不過方法的一種，並不是有了參政權，就可以安臥無事。況且中國法律，多是虛文。將來即有專律來保護女子但不切實執行，有什麼用處呢？我以為一方面女子儘管參政，一方面仍應積極籌謀自救辦法，或是合力開辦女子義務學校，或是介紹婦女職業，定要雙管並下，始能和男子有同等地位和權利。中國政治非常黑暗，若專賴參政，未必有良好的結果的，請萬女士注意！

最後我要講女子參政與國家的關係！這也是很重要的！我們必要確實明瞭女子參政究竟於國家有什麼影響後，方才可以實行女子參

政。國家不可當作試驗品，一舉一動，都要慎重的，一些兒疏忽貽害國家不少呢！並不像化學試驗室裏的玻璃管藥料，毀壞不要緊的。最近蔡元培對北大學生演說：「學校不是試驗品，不可任意胡行，因為犧牲太大了。」學校如此，何況國家呢？中國議員的成績國民都知道了，到了今天，連憲法還沒有起草，仍是自相吵鬧。日後若女子加入議會，保不住和他們同化，那麼女子參政成績還沒有出現，反把燦爛國家斷送了！許多熱心政治的女子定想女子未必像目下議員的腐敗，但是我們要明白，這般比普通女子智識高得多的議員尚是這樣，將來女子投身政界，受外界引誘，又有幾個能夠「潔身自持」呢？萬女士說「女子參政能引起教育興趣，提高國民程度，增進女子責任心」乃是片面的理想。民國元年，還選舉議員的時候，難道國民不望議員代表民意，服務國家嗎？所以我們對於女子參政的流弊，定要慎重杜絕，使她沒有發生機會，方可實行女子參政。

杜絕女子參政流弊的方法，只有限制選舉權和被選舉權。我們應該用財產、學問、德行去限制，使那般去選舉人的女子，不會受人運動，能夠按她真正的意願去揀選人。那被選舉的女子，能明瞭國事，代表民意，秉公辦事，不怕勢利，勿像目下議員瞎鬧。被選資格要有才能德行，不是單提高票數就能行的。這樣，萬女士所說的「三大利益」和「兩大效果」，都可達到了。等到國民程度高尚，把限制逐漸撤去，使個個女子都有參政的權利，那時中國政府真是四萬萬人民的政府了。

結言之，我對萬璞女士的演說，大半是贊成的。惟萬璞女士於女子參政的善後方面，沒有十分注意，所以我把個人的意見，寫在上面，想望萬女士和熱心參政的女同胞，懇虛心採納。現在我把女子參政的權利、需要和影響，三大段都已解說明了，因此女子參政問題亦不解而自解了。

閒話：談談演說

飯司夫

「飯司夫」頗多見於滬江大學年刊，為滬江大學一學生筆名，真實姓名及專業不詳。

本文摘自上海理工大學檔案館館藏《滬潮》第一卷第二號。滬江大學附中學生會出版社一九二八年五月出版。北京大學圖書館亦藏有此刊。

年來開會這件事，可算是平常極了，不論什麼事情，都要開她一個會。但在會場的秩序中，時有演說，假設到會者不曉得講幾句，那麼便吃虧了。我不是演說大家，何敢妄論，不過年來涉歷了許多會，對於演說一層的觀察，有些感想和經驗，現在把它披露來，諸位如要成將來著名的演說家，對於這篇不可不研究。

第一，姿勢的模仿和狀態：

（一）潑婦爭罵式——以食指向聽眾頻頻指點，作助威勢。

（二）醉漢猜梅式——手指時伸時屈，或三或四，更表數目。

（三）囚犯扮蟹式——兩手收在背後，挺腰正立。

（四）牧師祈禱式——右手伸出覆掌，兩目下垂視折紙。

（五）幻術催眠式——食中兩指平出，作向聽者催眠之勢。

（六）小術奏技式——在臺的兩端，踱來蹄去，表演潭腿之狀。

（七）銅像子立式——一手縮在背後，一手下垂，頭部略降，作默思狀。

（八）學究授書式——形容古老，舉止溫存，視線低下，身軀不動，聲調輕緩無抑揚。

第二，須準備的東西和其用途：

（一）小折紙——須寫些重要的說詞和慣用成語。

（二）手巾——時時取出，揩去面部或背的汗，尤其是說完退席後那頭汗。

（三）西裝褲袋——在爭罵、猜梅、催眠和奏技後暫息時，可為兩手的歸宿處。

（四）汽水或茶——於力竭聲嘶時，如猜敗酒梅作狂飲樣，更可助嘴裏的水花多噴些。

第三，慣用的成語：

（一）諸位，今天，兄弟……

（二）……與諸位……機會……

（三）歡喜得很……

（四）不過沒有預備……

（五）非常抱歉……

（六）請諸位原諒……

（七）現在所要講的題目，是……

（八）為什麼呢……是因為……

（九）這樣的……所以要……

（十）如果……那麼……

（十一）但是……

（十二）時候不多了……

（十三）……

　　其它成語尚多，不可盡數，惟在善於說辭者的隨機應變。望未來的演說家再變化一點，那包管要著名更快。但以上所述的姿勢和成語，斷不可缺，因為歷來的演說大家，都由此而著名的。

從演說辯論中所見到的
幾個根本弱點

日月

　　本文摘自國家圖書館館藏、一九三四年五月出版的《滬江大學月刊》[1]第二卷第三～四期合刊。作者日月係滬江大學在讀學生的筆名，真實姓名及專業不詳。關於撰稿時間，「日月」在文末注明是「一九三四·五四紀念日」。

　　人類似乎有一種極奇怪的習性，在他們做事的時候，會得常常把這件事情的目標弄錯，而朝著另外一個方向去蠻幹，所以有「自由自由，天下多少罪惡，假汝之名以行！」的慘局。本校舉行的演說辯論的結果，似乎也難逃這個謬誤。

　　演說辯論與文學美術，同為人類表示思想交換知識的工具。如果我們承認社會的變化，是由人類知識的交換所演變而來的力量所推動的，那麼，演說辯論在人類的才能上，自應享受崇高的地位，在知識的啟發上，也自應佔有重要的成分。話雖如此，可是在事實上，人們常常把演說辯論當作沽名釣譽的工具，出風頭賣本領的幌子。這不僅

1　此時的《滬江大學月刊》簡稱為《滬大月刊》，注明是上海滬江大學學生自治會出版部滬江大學月刊社出版。

是演說者自身常有的錯誤，就是普通一般的聽眾，也有不少的人是抱著這個見解，在本校這種情形尤其顯著。

有了這種謬誤的見解，當然要產生下面這些不當的現象：

（一）「得失之心」過重，減少了「盡我所能」的努力。本校同學，擅長辭令者，頗不乏人，然而每個演說，參加者總是寥若星辰，固然「功課太忙」是一個很好的藉口，然而例假日到上海散心者卻多如沙數，「功課太忙」實在不能不令人懷疑。乾脆地說吧，太計較得失勝敗而已！本屆舉行的演說比賽，有的人因為某某同學參加，明知她的姿態自然，口齒清晰，音調鏗鏘，自己望塵莫及，於是託辭不講；再有的因為在校已有相當聲譽，萬一落選，功虧一簣，於是「明哲保身」避不參加。這種態度不僅是自己不信任自己，而表現出一弱者的心理，而且根本也不是一個有為的青年對於事業所應有的舉措！如果我們已盡了最大的努力，那麼雖然失敗，仍是成功。一個自強不息的青年，絕不會因為表面上的失敗，而忽略實質上的成功。演說辯論的目的，既在表示我們的思想，以與別人交換智識，那麼只要「盡我所能」，不負此舉，就算成功了，又何至於計較一切虛榮的得失呢？ 既然大家的目標是集中在錦標上，希望的是勝利，這不是想借著演說辯論來出風頭賣本領是什麼？有一次，作者看見本校的工友們同許多外籍教授的小孩做足球練習，這般小孩們個個都是奮不顧身，勇往直前地與一般精壯結實的工人們馳騁，其中居然還有一個四五歲左右的小孩，充當中衛，不顧一切地去與「敵人」拼球，在他跌下的時候，足球比他的腦袋還來得大。他這種「盡我所能，不顧得失」的態度，真令人肅然起敬！正是因為我們把得失看得太重，自以為聰明地預知勝敗，於是不「盡我所能」，以至畏懼日本，不戰而送東北，不守而棄錦州。「生存競爭，優勝劣敗」。身受高等教育自命優秀份子的大學生，及不上一個乳臭未乾的碧眼小兒，中國的前途也就夠可憐

了！如果我們不能放棄這種得失之念，而不盡我所能，我們頂好不去唱那種「救國強種」的高調，免得教壞了我們天真勇敢的好兒童！

（二）「嫉妒輕視」的心理代替了「欽佩鼓勵」的合作，耳紅目眥舌槍唇劍彼此爭論，已經是人類生活中的醜惡現象[2]，若是我們能好好利用以利人益己，尚不失為補過的途徑，現在竟因之而加強人們的嫉妒與輕視，對於此事，我竟不知如何來置評！本屆演說，大家都預測勝利的某同學，不幸因遺忘而未能如我們的所望，於是「不過如此」，「驕者必敗」，「看她還神氣什麼」的批評就由男女同學的口中陸續地出現了。對於人家的失敗，我們不去安慰鼓勵，反而從嫉妒的卑鄙中表現出輕視的態度，這是多麼殘酷無情的行為！這種幸災樂禍的舉止，同古代羅馬仕女翹起大拇指向下，要角勝的武士殺掉戰敗者一樣野蠻！演說辯論的目的既在交換知識，人家的成功對於我是一種利益，我們應當表示欽佩與感激；人家的失敗對於我是一種暫時的損失，我們同學應該同樣地表示欽佩與感激，因為他們多少是已經供給了我們一些學識，同時也應當表示同情與鼓勵，以求他們下次的努力，以便共同進步。即令評判不公，別人的勝利對於你絕對不是一種損害，也用不著憤恨不平。一個努力進取的青年，不會這麼眼光淺短而著重於眼前的虛榮的。既然同學們表示的態度，是對於勝利者的嫉妒，對於失敗者的輕視，這不是因為人家奪去你的出風頭的本領的機會而表現出的反感是什麼？如果我們有點社會的人生觀的緒念，上述的這種劣根性就會無形消滅。富爾敦（Robert　Foulton）[3]絕不會因為

2　原筆者注解到：感激我的朋友玉相，他讓我瞭解了這句話的含義，所以我從紀念冊中把他這句話借用一下。

3　富爾敦（Foulton Robert, 1765-1815）美國發明家。最初是珠寶商學徒，1786年赴英深造，對工程和發明很感興趣，對改進運河的航行方法做了調查研究。1797年，富爾敦到法國，用了7年時間試圖設計出一艘可以運行的潛水艇。1806年，返回美國繼續試驗，成功地製造了一批汽船並投入使用，成為第一個使汽船成為實際可用的

瓦特（James　Watt）改良蒸汽機奪去他的頭功而表示嫉妒，反而會因為利用了蒸汽機而發明了汽船對於瓦特表示欽佩感激。畢卡德教授（Piccardo）絕不會因為蘇聯的飛行器科學家（在）同溫層的飛行高度打破他的記錄而表示嫉妒，更不會因為這次飛行不幸遇險，人死機毀，表示輕視，幸災樂禍的態度，反而會因為這次慘劇不能得著圓滿的科學成績，以發揚光大他的同溫層試驗的結論而表示哀悼與同情。社會是連續進化的有機體，人類是互相幫助合作以生存的。沒有前人的部分努力，後人決不能一步登天地有整個的發明，古人若不努力地栽樹，今人決不能有木材做樓房。不幸我們沒有認識這種人類的社會性的關聯，於是派別森嚴，黨同伐異。如果我們不能放棄這種「嫉妒輕視」的心理，而代之以「欽佩鼓勵」的合作，我們頂好不去唱那種「精誠團結」的高調，免得教壞了我們天真和藹的好兒童！

　　（三）勝利者的驕傲與失敗者的沮喪阻止了「精益求精」、「再接再厲」的進步，這實在是一件不幸的事，勝敗在演說辯論的實質上，並沒有多大的差別，然而在人們的心理上，卻造成兩個相反的印象，於是就釀成這種悲慘的局面——勝利者的驕傲，失敗者的沮喪。就聽眾一方面來說，對於勝利者除了一部分人的嫉妒以外，多數的人總是過度的推崇。好比去年某辯論隊得勝利，雖然他們的隊員虛心求益，然而得不到什麼正直的批評，於是他們就難免有自滿的態度。到了他們失敗時，才發覺自身的缺點，講話太快，態度過烈。對於一般失敗者，大家的態度多半是輕視，本屆的演講，有人對於幾個失敗者竟斥為「不自量力」，這該是多麼令人心涼的荒謬行為！再說就講演員一方面來說，勝利者因為受了極度的捧，於是驕傲自滿，目空一切，失

人，被人們普遍地認為是汽船的發明人。但有學者認為，對這一發明應當受到稱讚的還有另一位美國發明家菲奇（Fitch John）。

敗者因為受了極度的壓，於是憤激沮喪，冷淡消極。演說辯論的目的，即在交換知識，只要「盡我所能」就得了，何必顧及虛榮的成敗？並不能代表絕對的真理，我們又何必因此而為之左右呢？即令判斷公正，演說辯論不過是智育方面的一部分的技能。又有什麼值得驕傲？又有什麼值得沮喪？既然勝利者是驕傲，失敗者是沮喪，這不是因為出風頭成功而得意，賣本領不遂而失望是什麼？如果我們放大眼光，著重宇宙，自然間的困難與努力，還有多少？集古今多少人們的心血與時間，所成就的事業尚不過如此，我們這點演說辯論的技能，即令登峰造極，又算得什麼？所謂驕傲，不過是淺薄，所謂沮喪，不過是怯弱而已！一個努力不懈的青年，絕不會因為目前曇花般的得失榮辱，小敗即餒。如果真是這樣，中國才缺少了一般才富五車的學者，忍辱負重的勇士。如果我們不放棄這種勝利即驕傲敗即沮喪的態度，我們頂好不去唱那種「埋首苦幹，長期抵抗」的高調，免得教壞了我們的天真純潔的好兒童！

總而言之，我們這種計較得失，嫉妒輕視，驕傲沮喪的現象，都是因為我們把演說辯論當作沽名釣譽的工具這個錯誤觀念所釀成的，所以今後應當認清目標，把演說辯論看為表示思想呼喚知識以求共同進步的工具，放開眼光，不計較目前的得失，擴大同情心，自強不息，不用嫉妒輕視，不必驕傲沮喪。這樣，才可利己益人。不要因為這是小事體而隨意放任，小事體的錯誤心理常常主宰你的終身舉止，而足以危及人群社會的。

同學們！讓我們大家努力來改過自新，回覆到我們兒童時代的勇敢和藹純潔吧！

校聞：博士演講

　　一九一八年四月，美國艾迪博士曾來北京布道，先後在公理會、青年會講道數次。前文提到的吳耀宗在北京稅務學校讀書期間，就是在聽了他的講道後，立志受洗入教。此次因艾迪布道而立志入教的學生及畢業生一共有十多人。

　　本文摘自北京大學圖書館館藏、一九三〇年四月二十日出版的滬江大學學生自治會刊物《滬大周刊》第四卷第一號。

　　建國之基石——誠實，熱誠，廉潔，理智的信仰。

　　美國艾迪博士上星期四下午四時在本校大禮堂講演。未至講時，鍾未四下，寬敞之禮堂已為之座滿。首由劉校長致介紹詞，約言艾博士本習工程，入世後，深有感觸，因棄所專，以服務人群為事。博士家頗富有，周遊世界，從不受人津貼。此次來華，已為第七次。不久將離華經日返美云。旋艾博士於掌聲雷動中開始講演。略謂：過去之三十年，民族運動彌漫全亞洲，時至今日此刻，帝國主義再也不能逗留。惟於茲民族蘇醒的當兒，有的上陞，有的下落。土耳其之勃興[1]

1 　指由凱末爾領導的土耳其民族解放運動。具體參見前文〈兩個病夫國〉中的相關注釋。

與日本之猛進，造成近代史中之偉績。同時朝鮮之衰止[2]，更予其它民族以警惕。凡建國之當前條件有二：（一）如何能使全國人民放棄自私自利的心思而為全民族之幸福去奮鬥？（二）如何能使通國一致，各捐私見，而努力於建立新民族之工作？朝鮮亡了，因為內部紛亂；日本興了，因為內部團結。中國又將如何？建國所必須之基石有四：第一是誠實。中國正急切需要誠實的公民。任何不誠實的行為，非但喪失個人的人格，並且剝奪中國一個好公民。第二，我們必須有熱誠。孫中山先生成功的秘訣是他的熱誠和勇往直前的精神。第三，是廉潔。不廉潔的人永遠不會成為一個愛國者。最末，是理智的信仰。中國許多的青年，都以為中國前途無望而悲觀。其實並非中國無望，乃是她的子孫缺乏理智的信仰。林白大佐[3]之橫渡大西洋，哥倫布之發現新大陸，都由於他們有堅決理智的信仰。艾博士於什麼是宗教發揮頗多，約言宗教能給人以人生的意義及目的。凡人能與上帝親近，才能和人類互相友愛。艾博士年歲六旬，而精神矍鑠，語音洪亮，滔滔不絕，歷一小時而無倦容。由劉校長致謝詞後散會。

---

2 艾迪博士此次講演的時間為1930年4月。所謂「朝鮮之衰止」是指1910年8月，日本以軍隊包圍漢城皇宮，強迫韓國認可《日韓合併條約》，朝鮮半島從此淪為日本殖民地。直到1945年8月獲得解放。

3 世界著名飛行家查理斯・林德伯格（Charles Lindbergh, 1902-1974），美國飛行員，生於密西根州底特律，是瑞典移民的後代。1927年，查理斯・林德伯格駕駛一架「聖路易斯精神」號飛機，不間斷飛行33.5小時，完成了人類首次從紐約到巴黎橫跨大西洋的壯舉，成為世界航空史上首個進行單人不著陸的跨大西洋飛行的劃時代英雄人物。

舒新城演說：「二十一條」 國恥紀念

本文摘自北京大學圖書館館藏、一九三〇年五月二十四日出版的滬江大學學生自治會刊物《滬大周刊》第四卷第六號。

五月九日上午九時，本校師生，在大禮堂舉行紀念會，以紀念日本「二十一條」要求之國恥。主席李英芳君[1]。行禮靜默畢，李君致開會詞，大意謂今日紀念，不能不想到如何的雪國恥，此乃大家之責任云云。繼由劉校長介紹中華書局總編輯舒新城[2]先生演說。舒先生謂今日所說者，是此恥是怎樣得的，大學生當知如何雪恥。表面看來，此恥之由來，不過三個原因：（一）日本之處心積慮想侵略中國；（二）歐戰，各國無暇東顧；（三）袁世凱想做皇帝。但真正的大

1　滬江大學1930屆畢業生，專業不詳。

2　舒新城（1893-1960），湖南漵浦人，學者，出版家。佃農出身。1912年進入常德師訓班學習，後考入免費的岳麓高師。畢業後進入教育界，先後在長沙、南京、成都等地任教。1925年由惲代英等人介紹，投身於出版界，至中華書局工作，主持編纂《辭海》。1927年，舒新城編寫的《近代中國留學史》是非常重要的中國留學史專著。1935年兼中華書局圖書館館長，對中華書局圖書館的發展卓有貢獻。解放後，任上海市政協副主席、全國人大代表。1959年，提出重訂《辭海》和影印《申報》，曾得到毛澤東等同志的贊許，並擔任《辭海》編委會主任委員。

原因是「貧」與「弱」。因自己無力量，故日本以小國而來壓迫；因貧各種產業不能發達，故人家可以經濟壓迫。何以貧？何以弱？最大的原因是在經濟制度。中國尚在小農制度，生產力不夠，組織力不發達；然究其因乃由於教育不發達之故。我國因貧和弱，故別國敢來欺我，而成此弱大民族。雪恥，不是呼幾句口號，做幾篇文章可以的，當從根本著手。此當從教育起。大學生之在中國，所負之責任，比在外國重萬倍。然教人者自己卻不知者數人，故教育以增加生產，乃大學生之責，而自己先當有知識。知識方面有三條路：（一）人生知識；（二）國民知識；（三）職業知識。國文、英文是工具，不是學問；於工具以外，當有專門知識，並能去幹。近來有許多人以政治作職業，大誤。政治乃國民中人人當負之責任。自己有了普通常識以教人，同時自己有專門知識，以作模範，如此生產不成問題，團結不成問題，軍事不成問題。資本家故須打倒，而資本須多。若經濟上不成問題，則此國恥可自雪，租界收回等，也不成問題云云。

李權時博士將講經濟學上的
幾個重要問題

本文摘自北京大學圖書館館藏、一九三〇年五月二十四日出版的滬江大學學生自治會刊物《滬大周刊》第四卷第六號。

經濟學家李權時[1]博士，應本校商學院之請，將於本月十九日星期一下午四時，來校演講〈經濟學上的幾個重要問題〉。李博士現任復旦大學商科主任，著有經濟學及商學書籍甚多。此次演講，地點定在大禮堂，以便諸同學均得獲聆云。

1　李權時（1895-1979），字雨生，浙江鎮海人。1918年畢業於北京清華學校，後赴美國留學，獲哥倫比亞大學哲學博士學位。1921年回國，在上海高校從事教學和經濟理論研究工作。歷任上海商科大學、大夏大學、復旦大學、中國公學、暨南大學、交通大學、國立勞動大學等校教授，復旦大學商學院院長，還擔任中國經濟學社理論刊物《經濟學季刊》總編輯，上海銀行公會主辦的《銀行週報》社經理兼編輯等。抗日戰爭時期，任復旦大學經濟系主任，大同大學、震旦女子文理學院教授。建國後，李權時離開上海赴東北，任吉林大學經濟系教授。

滄波先生來校演講

　　出自北京大學圖書館館藏、一九三一年三月二十九日出版的滬江大學學生自治會刊物《滬大周刊》第六卷第四號。原報導此消息的是一名劉姓同學，真實姓名及專業不詳。

　　人人都知道滄波[1]，我們敬仰他犀利的筆和清靈的腦，無怪他一上臺，下面會掌聲雷起。程先生是個矮而壯的人（當然比不上我們的劉校長和彭三美先生[2]），談鋒極健。從談歐美的政治，經濟，到新聞事業。他說的「簡單」，結果終不簡單，如果滄波先生說「複雜」，那不知要複雜到什麼程度了。最可惜的是，便是他剛講到新聞事業的時候，便因時間關係而中止，記者希望他關於新聞事業能給些大魚大肉給我們吃吃，哪知剛喝到一口湯，便拿走了。可惜！

1　程滄波，原名中行，字曉湘，江蘇武進人。1925年畢業於復旦大學。曾參加少年中國學會。後赴英國倫敦政治經濟學院學習。曾任上海《時事新報》主筆，中央日報社社長，復旦大學教授、新聞系主任，國民黨中央宣傳部副部長，監察院秘書長，重慶《世界日報》總主筆，上海新聞報社社長，國民黨政府立法委員，香港《星島日報》總主筆。1951年到臺灣。歷任臺灣政治大學、東吳大學、臺灣世界新聞專科學校教授，臺灣新聞評議委員會主任委員。著有《滄波文存》等。
2　滬江大學1922屆畢業生中有叫彭三美（S.M.Pan）的，文學學士，後任滬江大學「體育指導」（Tnstructor in Physical Education）。

後記[*]

　　作為「西學東漸」的一部分，作為西方國家侵略中國的一種途徑，教會大學按照「東西南北中」的空間佈局，曾經盛極一時。在「收回教育權」運動中，經過登記註冊，教會大學的身份逐漸合法化，中國化的步伐也因此明顯加快。隨著新中國的成立，在一九五二年院系調整中，教會大學全部被改組，無一存續。滬江大學存世四十六年，只有商科一脈在改革開放後，在上海機械學院時期，由上海及香港兩地滬江大學校友協助恢復，並發展成為今天上海理工大學的管理學院，「上海滬江大學校友會」註冊名稱也變更為「上海理工大學校友會」。時間過去了半個多世紀，今天，在滬江大學的原址上學習、工作的我們不能不想，那時候的滬江大學究竟是什麼樣子？五十年前的這片土地上究竟發生了什麼？

　　無論如何，有機會接觸、整理、研究滬江大學的歷史，這對一個有著歷史學科背景的我來說，都是一件莫大的幸事。但這本講演文稿的彙編實際上是個意外的收穫。編者原計劃先編輯一本紀念滬江大學首任華人校長、革命烈士劉湛恩的詩文集。這不僅因為劉湛恩是滬江大學存世近半個世紀中的一個靈魂人物，還因為長期以來上海理工大學和滬江大學校友會組織了諸多紀念劉湛恩的活動，收集、保存了很

---

[*]　本文為簡體版之後記。

多資料，編輯一本紀念劉湛恩的詩文集難度相對較小。但在收集、整理資料的過程中，編者偶然發現了杜威、李石岑在滬江大學的講演稿，興趣大增，此後一發不可收，這才有了這本講演稿的彙編。

在資料收集過程中，編者印象最深的是，在中國近代史上，演講曾經何等熱門、時興，曾經那樣深受大學生們的擁戴。這裏摘錄的多篇演講稿就是當時大學生們記錄、編輯整理的，或者根本就是他們在辯論中的激情演說。滬江大學首任華人校長劉湛恩在東吳大學就讀期間就曾獲得過演講冠軍，掌校期間自是十分支持演講。史載，當年陳獨秀身陷囹圄之際，在看守所裏寫下的《上訴狀》、《再抗辯書》，一直送到了最高法院，後來這幾個影響巨大的辯論詞被收錄到滬江大學的課本裏，還幫陳獨秀賺了不少稿費。這件事情從一個側面證明了滬江大學對於講演的重視。

原設想本書的書名定為「天籟」。這樣做有兩層意思：一是本書收錄的講演稿多出自《天籟》或者《滬大天籟》（The Voice，即滬江大學周刊、月刊甚至季刊，有「the Voice of the People」之意），這本刊物也是滬江大學各種刊物中最具影響力的刊物之一。二是講演地點大多限定在滬江大學校園內，所收集的資料都是發生在滬江大學校園中的。講演內容既有社會名人、專家學者的講演，也包括了部分大學生的講演，說明滬江大學的學術氛圍和人才培養模式，體現了滬江大學這個講壇不僅是社會的，教師的，也是青年學生的，是滬江的，更是屬於社會的。其中收錄的多篇英文講演稿、辯論稿正說明了滬江大學是中西文化結合的產物，中英文並舉也正是滬江大學的特色。他們的聲音是思想與智慧的載體，今天以這種方式予以梳理與表達實則也是對前人的紀念與精神的繼承。因而，「天籟」所具有的概括性、代表性，不僅能夠較好地體現各種學術講演和大學生辯論的物理形態，而且更具引申意義──講演的學術和時代價值及在今天的社會影響

力。某種程度上看，使用《天籟》也突出了《天籟》在民國時期高校中的地位，契合了當時滬江大學生的心態和願望——總編金冬日曾自豪地說：「以學校性質而博得社會之榮譽者，除北京大學之新潮，清華大學之清華學報，本校之天籟亦將鼎足而三焉。」但最後編者聽取了編輯的意見，直接將副標題作為標題，因為這樣直奔主題，更符合出版界的習慣。雖然已經割愛，卻依然有些不捨，所以在這裏特地加以特別的補充說明。

儘管大學生們的講演略顯稚嫩，但出於對學術本身和對大學生們思想及學術態度的尊重，也為了讓當今的教育工作者尤其是大學生們對當年大學生的精神面貌和治學態度有所了解，有所啟迪，本書在編輯過程中，一併收錄了部分大學生的講演稿。因為教會背景，因為滬江大學重視英文教學，本書中不少講演稿、辯論稿都是英文。考慮到大部分國內讀者的閱讀習慣，編者組織部分青年師生將其翻譯成了中文。

本講演錄由上海理工大學檔案館組織編輯，由章華明擔任主編，吳禹星擔任副主編。本書在編輯過程中得到了上海理工大學學生處和研究生部的大力支持，是他們安排學生以勤工助學的方式做了很多資料輸入、校對與部分翻譯工作，這些大學生的勤懇、努力和不事張揚給我留下了非常深刻的印象；感謝上海理工大學圖書館青年教師宗良的支持，他在北京出差之際，曾抽出時間專程趕往北京大學圖書館說明收集了部分資料；感謝上海理工大學檔案館、校史研究室全體同仁的理解與鼓勵、支持。尤其是吳禹星老師補充收集、整理了部分演講稿，承擔了整部書稿的後期統稿等工作，柴敏毓老師幫助收集、整理了大量的資料，胡夢芹、廖穎、張晉榮、陳剛老師也做了許多資料掃描、翻譯和校對工作。應該說，這本書的出版是檔案館、校史研究室全體人員的功勞。

資料的收集得到了上海市檔案館、上海市圖書館、華東師範大學圖書館、復旦大學圖書館及國家圖書館、北京大學圖書館等部門的大力支持，在此一併表示感謝。稍覺遺憾的是，上海檔案館所藏滬江大學全宗在「總類」中言明藏有「劉湛恩、淩憲揚、李耀邦、張春江等人的簡歷、自傳、言論集、講演稿等文件」。但編者能夠查到的只是相關邀請（講演）函，並沒有實實在在的講演稿。因一九四九年八月出版的《天籟》復刊第一卷第一期尚未找到，該期所登的三篇講演稿：〈活教育〉（陳鶴琴先生講）、〈詩的新路線〉（朱維之講）、〈徐松石先生講邊疆的部族〉，未能收入本書。

特別感謝上海海洋大學社科部李華老師，是他對本書的目錄編排提出的建議，使得本書更具條理，更具學術性；感謝上海大學檔案學系研究生郭瑛、張其林，他們在實習期間參與了書稿的部分編輯工作。

特別感謝復旦大學歷史系王立誠教授。本書諸多資料尤其是各篇的導讀都是以他的專著《美國文化滲透與近代中國教育：滬江大學的歷史》為參考或為引子。同時，他的著作也在我的面前豎立了一個標杆，時刻提醒著自己要精益求精，馬虎不得。華東師範大學二〇一〇屆研究生李江的碩士論文《民國時期教會大學的文學教育與新文學之間關係》以《天籟》作為主要研究對象，我們也從中得到不少啟發。同時也感謝李江無保留的幫助，使我們後期又找到了多篇重要的演講稿。

感謝上海交大出版社編輯吳芸茜的耐心和辛勤勞動。感謝她對初稿的寬容大度，更是她一絲不苟與精益求精的精神感動了我們，使得我們不厭其煩一再修改而毫無怨言。

衷心感謝學校領導及廣大校友、同事們對我們的信任與支持，我們將繼續努力。

中華文化思想叢書 A0200023

滬江大學學術講演錄　下冊

編　　　者	上海理工大學檔案館
責任編輯	蔡雅如
發 行 人	陳滿銘
總 經 理	梁錦興
總 編 輯	陳滿銘
副總編輯	張晏瑞
編 輯 所	萬卷樓圖書股份有限公司
排　　　版	林曉敏
印　　　刷	百通科技股份有限公司
封面設計	斐類設計工作室

出　　　版　昌明文化有限公司

桃園市龜山區中原街 32 號

電話　(02)23216565

發　　　行　萬卷樓圖書股份有限公司

臺北市羅斯福路二段 41 號 6 樓之 3

電話　(02)23216565

傳真　(02)23218698

電郵　SERVICE@WANJUAN.COM.TW

大陸經銷

廈門外圖臺灣書店有限公司

　電郵　JKB188@188.COM

ISBN 978-986-92898-3-2

2016 年 4 月初版

定價：新臺幣 360 元

如何購買本書：

1. 劃撥購書，請透過以下郵政劃撥帳號：

帳號：15624015

戶名：萬卷樓圖書股份有限公司

2. 轉帳購書，請透過以下帳戶

合作金庫銀行　古亭分行

戶名：萬卷樓圖書股份有限公司

帳號：0877717092596

3. 網路購書，請透過萬卷樓網站

網址 WWW.WANJUAN.COM.TW

大量購書，請直接聯繫我們，將有專人為您

服務。客服：(02)23216565　分機 10

如有缺頁、破損或裝訂錯誤，請寄回更換

國家圖書館出版品預行編目資料

滬江大學學術講演錄 / 上海理工大學檔案館

編.-- 初版.-- 桃園市：昌明文化出版；臺北

市：萬卷樓發行, 2016.04

　冊；　公分.-- (中華文化思想叢書)

ISBN 978-986-92898-3-2(下冊：平裝)

1.言論集

078　　　　　　　　　　　　　105003042

本著作物經廈門墨客知識產權代理有限公司代理，由上海交通大學出版社有限公司授權萬卷樓圖書股份有限公司出版、發行中文繁體字版版權。